"Justin est-il ton amant?"

"Cela ne te regarde pas!" lança Gina.

"Si, cela me regarde," rétorqua Rémi sèchement. "Je te connais et tes méthodes me sont familières."

Jamais Gina n'avait eu aussi peu confiance en lui. "Que veux-tu insinuer?" s'écria-t-elle, outrée.

"Je me demande simplement jusqu'où tu iras pour m'obliger à accepter les conditions imposées par Justin," répondit Rémi avec mépris.

Gina était abasourdie: "Mais nous allons discuter ensemble des conditions du contrat," protesta-t-elle naïvement.

"Avec un chantage?" fit-il en ricanant.

"Un chantage?" Gina pâlit et secoua la tête. "Mais comment pourrais-je te faire chanter?"

Dans Collection Harlequin

Janet Dailey

est aussi l'auteur de

LA FIANCEE DE PAILLE (#15)
LA CANNE D'IVOIRE (#29)
LA COURSE AU BONHEUR (#31)
FIESTA SAN ANTONIO (#38)
POUR LE MALHEUR ET POUR LE PIRE (#53)
LES SURVIVANTS DU NEVADA (#64)
LE VAL AUX SOURCES (#68)
LA BELLE ET LE VAURIEN (#78)
FLAMMES D'AUTOMNE (#81)
LA VALSE DE L'ESPOIR (#97)
JE VIENDRAI A TON APPEL (#107)
A MENTEUR, MENTEUSE ET DEMI (#111)
LA MARQUE DE CAIN (#118)

CE TEINT DE CUIVRE CHAUD

Janet Dailey

PARIS • MONTREAL • NEW YORK • TORONTO

Publié en août 1980

ISBN 0-373-49132-8

Dépôt légal 3e trimestre 1980
Bibliothèque nationale du Québec et Bibliothèque nationale
du Canada.

Imprimé au Canada—Printed in Canada

1

Gina écarquilla les yeux de stupeur : était-ce vraiment Rémi? Non, c'était impossible. Après tant d'années... Pourtant, ces yeux, bleus, limpides et saisissants étaient bien les siens. La reconnaissait-il? Au doigt de la jeune femme brillait un anneau d'or : l'alliance de sa grand-mère la brûlait comme de la glace.

Elle se détourna promptement pour ne pas être vue de lui et s'agenouilla dans le sable, devant le large récipient en acier disposé au-dessus du feu de bois.

Son cœur battait comme celui d'une biche aux abois. Elle avait à la fois chaud et froid. Ce devait être une erreur, une illusion. Les nerfs à vif, elle tenta désespérément de nier la présence de Rémi.

Mais non, elle ne s'était pas trompée. Cependant, elle ne se résolvait pas à regarder de nouveau dans sa direction. Il lui suffisait d'avoir entrevu sa haute silhouette souple et musclée : en neuf ans, jamais elle ne l'avait confondue avec une autre.

C'était bien lui. Sa chevelure d'un noir de jais ondulait comme sous l'effet d'une brise légère. L'âge avait durci ses traits aquilins et renforcé son port altier qui frisait l'arrogance. Sa peau bronzée accentuait l'étonnant contraste de ses yeux bleus et de ses cheveux bruns.

Gina baissa les paupières; ses beaux cils noirs papillotaient sous l'effet de l'émotion. Les souvenirs l'assaillaient : le jour où son grand-père avait vu Rémi pour la première fois, il avait voulu savoir d'où venait cet homme qui intéressait tant sa petite-fille.

— Il vient d'ailleurs, c'est un « cuivré », avait-elle répondu en employant l'expression typique de son Maine natal.

En effet, toute personne non originaire du Maine n'était pas traitée d'étranger ni de paria, mais se voyait désignée sous le terme « d'ailleurs ».

« Cuivré » indiquait l'appartenance de Rémi à la catégorie des plaisanciers. Cette expression pittoresque et imagée faisait allusion au teint hâlé des navigateurs de plaisance, qui, à la belle saison, sillonnaient le littoral. Cette dénomination les distinguait d'autre part des habituels « poisons d'été », surnom affectueux donné aux touristes qui envahissent chaque été les stations balnéaires de l'état du Maine.

Neuf ans auparavant, Gina était une jeune fille de seize ans très impressionnable : le mot « cuivré » devint pour elle plus qu'une expression, incarné par les traits de Rémi, bronzés et ciselés dans le métal. Il émanait de lui une virilité brutale et une vitalité débordante inconnues de la jeune fille.

Et voici qu'elle le revoyait. Gina tremblait de tous ses membres. Elle aurait voulu s'enfuir avant d'être obligée de le saluer, mais impossible : elle n'avait aucune excuse valable pour quitter la réception.

— La brise est un peu fraîche, mais pas à ce point! s'exclama une voix de femme.

Gina se retourna brusquement et reconnut Katherine Trent, la sœur de Justin. Elle dissimula son émotion.

— Je pensais à l'hiver...

— Nous ne sommes pas encore en automne, ne bouscule pas les saisons! Tu viens m'aider? Comme d'habitude, Justin s'arrange pour se laisser accaparer par ses invités!

Katherine déposa un grand sac en plastique près du bac en aluminium. Gina feignit l'enthousiasme :

— C'est tellement amusant de se rendre utile de cette façon!

Les deux jeunes femmes sortirent les algues du sac et les disposèrent au fond du récipient rempli d'eau. Ensuite elles ôtèrent le couvercle d'un tonneau où rampaient péniblement des homards vivants, entassés les uns sur les autres. Leurs carapaces luisaient dans l'obscurité, à travers les algues. Des chevilles de bois maintenaient leurs pinces fermées et les rendaient inoffensifs. Un par un, ils allèrent rejoindre les algues dans le bac en aluminium.

Une seconde couche de varech les recouvrit, puis vint une autre couche de homards, recouverte à son tour. Quand le tonneau fut vide, il fallut passer aux palourdes enveloppées dans des sacs de mousseline.

Certains invités assistaient aux préparations. Gina était de plus en plus tendue. Elle allait bientôt se trouver nez à nez avec Rémi : parmi une trentaine de convives, il lui serait difficile de l'éviter plus longtemps.

Elle essaya de se ressaisir en vue de la rencontre. Peut-être n'allait-il pas la reconnaître... Après tout, elle avait seize ans lors de leur dernière entrevue. En neuf ans, elle avait certainement changé plus que lui.

Sa chevelure, bien sûr, était toujours aussi brune, d'un noir profond, comme celle de Rémi; mais elle ne tombait plus en grappes soyeuses sur ses épaules : elle était courte et légèrement ondulée près des tempes, pour ajouter à son allure une pointe de sophistication. Ses yeux, toujours aussi verts, soulignés par de longs cils, avaient cependant perdu leur candeur. Si ses courbes s'étaient doucement arrondies, elle conservait malgré tout la même silhouette.

— Gina!

Elle tressaillit à l'appel de son nom. C'était Justin. Avant même de se retourner, elle devina la présence de Rémi aux côtés de son hôte. Elle arbora un sourire forcé et fit volte-face. Elle prit soin de garder les yeux fixés sur Justin afin d'éviter le regard bleu et glacial de son invité.

Elle resserra frénétiquement les doigts autour du sac de palourdes pour contenir la vague de panique qui montait en elle. Elle parvint à se dominer, mais sentait la fragilité de cet équilibre.

— Je te cherchais, dit Justin, en passant un bras autour de sa taille.

— J'étais là, répondit la jeune femme, et elle éclata d'un rire faux qui résonna douloureusement à ses oreilles.

Elle examina le beau visage de Justin.

— Que me veux-tu?

— Je voulais te présenter quelqu'un. Rémi, voici...

— Les présentations sont inutiles.

Rémi avait parlé d'une voix basse et douce, et Gina fut obligée de remarquer sa présence.

— Nous nous connaissons déjà, poursuivit-il, n'est-ce pas, madame O...

— Mon nom est Gaynes, interrompit-elle, miss Gina Gaynes.

Elle avait particulièrement insisté sur sa situation de célibataire.

— Veuillez m'excuser, rétorqua-t-il sur un ton ironique.

— Il n'y a pas de mal, lança-t-elle légèrement.

Mais tous deux comprirent intimement la portée de sa réaction ambiguë. L'air s'électrisa autour d'eux. Cette tension était plus que Gina n'en pouvait supporter.

Justin avait l'air intrigué. Un masque distant tomba sur le visage hâlé de Rémi.

— Vous étiez sur le point de m'offrir un verre avant que miss Gaynes ne nous détournât.

— C'est juste, que prendrez-vous?

— Une bière.

— Je vous l'apporte.

Justin s'éloigna sans avoir satisfait sa curiosité.

Gina se tenait maintenant seule devant Rémi. Il remarqua ses doigts crispés : elle s'efforça immédiatement de se détendre, pour ne pas laisser paraître sa nervosité.

Très raide, elle se dirigea vers le grand bac métallique pour y déposer le sac de palourdes.

Il lui emboîta nonchalamment le pas. Elle fit semblant de l'ignorer et se remit à aider Katherine. Il demeurait à l'écart et observait les préparatifs d'un air absent.

Livide, Gina étalait une couche d'algues sur les palourdes, tandis que sa compagne allait chercher le maïs. Elle revint les bras chargés d'épis enveloppés dans du papier d'aluminium. Elle les disposa dans le récipient puis alla en chercher d'autres.

Un épi roula par terre. Gina ébaucha un geste pour le ramasser, mais la main bronzée de Rémi fut plus rapide. Il ne lui tendit pas le maïs : elle dut allonger la main pour le prendre, détournant son regard de ses traits ciselés.

— Tu as donc changé de nom, je l'ignorais, prononça-t-il à voix basse.

— Ça ne te regarde pas, non! rétorqua-t-elle amèrement.

Sa bouche se durcit. Il posa un regard tranchant sur l'anneau d'or de Gina.

— Et ça?

— C'était l'alliance de ma grand-mère, la seule chose d'elle que je possède. Je la porte à la main gauche car elle est trop petite pour la droite.

Cette explication logique sembla le déconcerter, mais une lueur malicieuse éclaira son regard. Elle se préparait à reposer l'épi de maïs quand il referma la main sur son coude. Il semblait fou de colère.

Gina avait mal mais n'essaya pas de se dégager. Ses yeux étaient froids et verts comme la mer en hiver quand elle les posa sur lui d'un air méprisant.

— Lâche-moi, exigea-t-elle, ou j'appelle à l'aide.

Il lui fallut rassembler tout son courage pour prononcer ces mots malgré sa présence dominatrice.

La menace produisit l'effet escompté : il lâcha prise, la bouche tordue de dépit.

— Tu n'as rien trouvé de plus original, depuis le temps!

Gina frémit sous l'insulte. Au même moment, Justin et sa sœur les rejoignirent.

Le maître des lieux entraîna presqu'aussitôt Rémi vers d'autres invités.

Katherine, absorbée par la préparation des pommes de terre, des oignons et des saucisses, ne remarqua pas le mutisme inhabituel de Gina. Celle-ci fut soulagée lorsque le récipient fut recouvert d'une bâche. Elle partit sans attendre de voir s'allumer le feu sous le bac en aluminium, et courut vers la maison sous prétexte de s'y laver les mains.

Elle s'effondra dans le premier fauteuil venu. Elle avait la nausée. Il lui fallait déduire les conclusions de cette seconde rencontre.

Justin avait invité Rémi à ce pique-nique. Leur entente était cordiale, de toute évidence, mais ils n'étaient pas pour autant amis. C'était sans doute une relation d'affaires.

Ce raisonnement semblait plausible et expliquait la présence de Rémi dans le Maine au mois de septembre. Cela ne la rassurait pas pour autant. Gina refusait qu'il fût mêlé à sa vie, même de manière indirecte. Elle passa une main tremblante sur son front moite, s'interrogeant maintenant sur la durée de son séjour.

L'ironie de la situation la fit vaguement sourire. Neuf ans auparavant, elle se posait la même question, mais pour des raisons diamétralement opposées. Elle appréhendait alors le jour de son départ. Aujourd'hui, elle l'attendait avec impatience.

Avait-elle perdu son sens de l'humour? Elle devrait s'amuser de ce paradoxe au lieu de se laisser désarçonner. Cette expérience vieille de neuf ans devrait appartenir au passé, être enterrée dans son esprit.

... Ce teint de cuivre chaud... Il lui était apparu tel un dieu. Le vent du large et le soleil avaient ciselé ses traits en lignes douces et puissantes.

A cette époque, Rémi était l'homme le plus attirant qu'elle eût jamais rencontré, le seul qui l'eût jamais émue physiquement. Sa virilité latente avait éveillé la féminité de la jeune fille. Cet été-là, il avait vingt-six ans. Son style de vie et sa personnalité le différenciaient des autres.

Quelques jours après l'avoir rencontré, Gina avait subtilement entrepris d'attirer son attention. Elle prenait parfois conscience de son manège, mais le plus souvent elle se laissait guider par son instinct. Le destin et le moteur défectueux de son yacht l'avaient consigné dans le petit port où le grand-père de la jeune fille pêchait le homard. Gina avait toutes les excuses du monde pour traîner sur les quais à toute heure du jour.

Au début, ils se saluaient de loin, puis ils commencèrent d'échanger quelques mots. Gina avait seize ans. Elle était belle et séduisante, sans le savoir. Les hommes remarquaient ses longs cheveux noirs et ses yeux verts. Rémi ne fit pas exception.

Elle avait vu son regard voilé se promener et s'attarder sur son visage, sur son corps, plein d'une admiration muette. Mais dix années les séparaient, et il respectait son jeune âge.

Un après-midi, elle s'était rendue à la plage en sachant pertinemment que Rémi y serait. Dans son désir de se rapprocher de lui, elle découvrit en elle d'inépuisables ressources de ruse et d'artifices. Elle n'en soupçonnait pas jusqu'alors la présence.

Cela lui permit de feindre la surprise quand elle le vit dans l'eau. Elle lui lança un bonjour amical et nagea de son côté, avec l'air d'un propriétaire qui aurait toléré la présence d'un intrus dans sa petite crique retirée. Quand elle regagna la plage, il était étendu sur le sable et prenait le soleil. Ses jambes et son torse musclés avaient déjà revêtu une teinte cuivrée.

C'était une petite anse, il était donc naturel de s'asseoir non loin de lui pour se sécher. Il lui avait jeté un coup d'œil légèrement moqueur.

— C'est une belle journée, avait-elle innocemment déclaré.

— Mmm, acquiesça-t-il en fermant les yeux.

Après un silence, elle lui demanda sur un ton faussement dégagé :

— Votre moteur est-il réparé?

— Je le saurai demain, nous allons sortir le bateau et l'essayer.

— Nous? Vous voulez dire vous et Peter?

Elle n'avait pas réussi à percer la nature de la relation qui liait les deux hommes. Peter lui apparaissait tour à tour comme un employé, un matelot, ou son meilleur ami.

Toutefois il n'avait pas le type marin : s'il était seulement l'ami de Rémi, pourquoi faisaient-ils équipe pour cette croisière? Elle l'imaginait plus aisément plongé dans ses livres, que sur le pont d'un bateau.

Rémi changea de position pour mieux admirer les

formes de la jeune fille dans son maillot de bain jaune canari.

— Quel âge as-tu, Gina? s'enquit-il, l'air amusé.

— Dix-sept ans. J'en aurai dix-huit en août.

Elle n'avait pas hésité à se vieillir d'une année.

— Parfois tu n'en parais même pas seize.

— « La tendre pucelle qui n'a jamais été embrassée »? s'esclaffa-t-elle, ce n'est pas tout à fait exact.

— C'est étonnant, tes expériences semblent t'avoir laissée intacte, s'était-il moqué.

Les battements de cœur de Gina s'étaient accélérés. Rémi, elle le savait, n'était pas pour elle; elle n'avait aucune expérience. Il était délicieusement dangereux de flirter ainsi avec lui. Cette sensation la grisait.

Elle le regarda de ses yeux verts et profonds comme l'océan.

— Je n'ai pas dit que j'allais folâtrer avec eux dans les buissons. Je parlais seulement de baisers.

— On t'a souvent embrassée?

Une lumière mouvante dansait sur le visage de la jeune fille. Elle s'allongea et sourit à demi :

— Oh, au moins une fois ou deux.

— Et tu t'y prends bien?

Il avait toujours l'air amusé.

— J'apprends.

Elle prenait plaisir à cette conversation libertine. Elle entrait dans ce jeu tout nouveau pour elle.

— Viens donc me montrer ce que tu sais faire, proposa-t-il, immobile.

Gina fut prise de court. Etre embrassée par Rémi était son vœu le plus cher. Mais il se moquait d'elle, et elle s'en était rendu compte avant de se plier à sa suggestion, fort heureusement. Cela lui avait fait mal, mais elle ne l'avait pas pris au sérieux.

Elle avait ri jaune, mais il ne s'en était pas aperçu.

— Non merci, Rémi.

Elle s'était gracieusement levée. Elle tenait un coin de sa serviette de bain, l'autre extrémité traînait sur le sable. Elle avait secoué la tête et souri, donnant à son refus une note de maturité.

— Que se passe-t-il? As-tu peur?

Cette petite provocation lui semblait peu convaincante.

— Je suis prudente, c'est tout. Je préfère me tenir loin des buissons.

Il y avait du vrai dans cette remarque. Elle écarta de sa joue une mèche de cheveux bleu-nuit.

— Je dois rentrer préparer le dîner de Grandpa.

Pour rejoindre le sentier qui menait au village, il lui fallait passer tout près de Rémi. Il s'était dressé sur un coude. Lorsqu'elle l'effleura, il attrapa le bout de sa serviette. Il fit semblant de s'y accrocher pour se relever. Une fois debout, il ne la lâcha pas.

L'air semblait chargé d'une tension inconnue. Gina fut incapable de bouger.

La lueur moqueuse avait disparu des yeux bleus de son compagnon. Une détermination sauvage les avait assombris. Ses traits s'étaient durcis. Il avait tiré sur la serviette. La jeune fille n'avait pas résisté, attirée par la force magnétique qui émanait de lui.

D'une main, il lui avait saisi l'épaule. Ce contact l'avait électrisée, embrasée; elle sentit le feu couler dans ses veines. Il pencha vers elle sa tête brune et elle ferma les yeux.

Leurs lèvres se touchèrent. Sous le baiser expert, la bouche de la jeune fille trembla. Les garçons de son âge n'avaient jamais su éveiller en elle de telles sensations.

Instinctivement, elle sut lui rendre son baiser, en dépit de son manque d'expérience. Sa main reposait sur la taille nue de Rémi, non par désir de le caresser, mais plutôt pour ne pas perdre son équilibre.

Lorsqu'il releva la tête, Gina chancela sous son

regard perçant et inquisiteur. Une certaine sévérité marquait ses traits hâlés et virils.

— Quelle étrange gamine...

Il avait prononcé ces mots comme s'il s'était adressé à lui-même. Aussitôt, la moquerie avait réanimé ses traits.

— Tu ferais mieux de rentrer chez toi, petite nymphette, et de préparer à manger pour ton grand-père.

Il l'avait joyeusement poussée vers le sentier. Gina n'était pas mécontente que cela se terminât ainsi. Elle se remémorait déjà avec délice chaque nouvelle sensation. Rémi l'avait embrassée, c'était merveilleux.

Gina gémit doucement à ce souvenir. Les choses auraient dû s'arrêter là, comme dans un rêve romantique. Si Rémi était parti le lendemain, après avoir essayé son moteur, elle ne serait pas brisée de l'avoir revu, à présent. Il serait resté l'étranger ténébreux venu charmer le cœur d'une jeune fille avant de s'évanouir dans l'irréalité.

Mais le destin en avait décidé autrement.

Elle se rappela l'impatiencc qui la guidait quand elle s'était rendue au port le lendemain. Elle vit venir à quai le voilier de Rémi, la « Sorcière des Mers ». Le moteur était réparé. Rémi n'avait plus aucune raison de demeurer dans ce petit port trop calme.

C'était sans doute la dernière fois qu'elle le voyait; elle resta sur le quai, la gorge nouée. Peter maladroitement sauta à terre pour amarrer le bateau.

— La panne est réparée, on dirait, commenta-t-elle.

— Apparemment oui, répondit-il avec un sourire timide.

— Alors vous partez demain? articula-t-elle à regret.

— Non, nous allons rester ici pour explorer l'état de Washington. Il y a trop de monde ailleurs, le long de la côte.

Il semblait répéter les paroles de Rémi.

Le cœur de Gina avait bondi de joie. S'ils restaient

dans la région, elle aurait certainement l'occasion de le revoir.

— Il y a beaucoup de chiens de mer, dans les ports, convint-elle.

— Des chiens de mer? interrogea Peter.

— Oui, des « poisons d'été ».

Cette explication le laissa encore plus rêveur.

— Des... des « poisons d'été »?

— Enfin, des touristes! précisa-t-elle avec un large sourire.

— Vous traitez les touristes de « poisons d'été »?

Lui aussi se mit à sourire à cette image.

— Oh, ce n'est pas méchant! En fait, ils font marcher les affaires sur la côte.

— Et on les appelle aussi des chiens de mer? Mais c'est une espèce de requin. Vous trouvez cela flatteur?

Gina éclata de rire.

— Les pêcheurs détestent les chiens de mer parce qu'ils arrivent toujours au moment de la pêche aux aiglefins. Et les touristes débarquent presque en même temps! Il existe plusieurs termes pour les vacanciers.

Mais elle ne parla pas des « cuivrés ». C'était spécial, réservé à Rémi.

— Incroyable! s'exclama Peter en rejetant en arrière ses cheveux blonds.

— Tu prends un cours d'expressions Maine-iaques, Peter?

Gina sursauta et fit volte-face pour se trouver nez à nez avec Rémi. Son cœur fit un bond dans sa poitrine. Ses cheveux d'un noir d'ébène étaient ébouriffés, emmêlés par le vent salin de l'océan. Sa chemise écrue laissait deviner ses larges épaules et sa poitrine finement musclée.

Il avait agilement sauté du pont rutilant. Il dévisagea la jeune fille qui sentit l'insistance éhontée avec laquelle

elle le regardait elle-même. Gênée, elle s'était rapidement tournée vers Peter.

A cet instant, un vieil ami de son grand-père les avait abordés. Il voulait avoir des nouvelles de Nate.

— Il va très bien, merci.

Puis elle mit les mains dans les poches de son pantalon et demanda :

— Ils rampent bien?

— Daow! répondit-il sur un ton emphatique.

— Grandpa aussi a changé l'eau de ses casiers aujourd'hui.

Le vieil homme hocha la tête et continua son chemin.

— Auriez-vous l'amabilité de traduire cette conversation? avait demandé Peter, médusé.

Rémi avait l'air intéressé et amusé. Gina, consciente de son attention bienveillante, se lança avec plaisir dans une brillante tirade explicative.

— Clyde Simms m'a demandé des nouvelles de mon grand-père. Il se porte fort bien, merci, lui ai-je répondu, autrement dit, il n'est pas en mauvaise santé. Ensuite, je lui ai demandé si les homards rampaient bien, c'est-à-dire s'ils se déplaçaient sur les fonds marins pour entrer, avec un peu de chance, dans les casiers. Sa réponse fut « daow! » : la négation la plus absolue. De toute façon, il répond toujours ça.

— Et que veut dire « changer l'eau des casiers »?, insista Peter, un petit sourire au coin de ses lèvres minces.

— Quand un pêcheur de homards va relever ses casiers et les trouve vides, il doit remettre un appât et les réinstaller : cela s'appelle « changer l'eau des pots ». En d'autres termes, c'est une tâche improductive, puisqu'il revient bredouille.

— Je ne crois pas avoir jamais entendu d'expressions aussi pittoresques! déclara Peter.

— La plupart viennent de termes de marine, ou du temps des pionniers, reconnut la jeune fille.

— Oui, mais elles sont toujours en usage. Bien sûr, le Maine est une région assez isolée, presque coupée du monde.

Rémi n'essayait pas de se mêler à la conversation. Il se contentait de prêter une oreille attentive et de regarder Gina.

— Nous avons l'air d'être isolés, mais en vérité c'est loin d'être le cas. Pensez à tous les vacanciers qui viennent du reste du pays et même du monde entier! De plus, les habitants du Maine ont toujours été liés à l'histoire de la mer, pour la pêche ou la marine marchande. Ils sont d'origines très diverses. Ils conservent les anciens idiomes pour marquer leur particularisme. Et les gens se souviennent de nous. Ils entendent notre façon de parler et la rapportent à tous leurs amis quand ils rentrent chez eux. La bouche à oreille constitue la meilleure des publicités, c'est bien connu! Ainsi les touristes affluent, sans cesse plus nombreux.

Une lueur malicieuse dansait dans les yeux de la jeune fille. Tous trois rirent en chœur. Pour Gina, ce fut un moment magique : elle avait réussi à faire rire Rémi, et cette fois, il ne se moquait pas.

— Quel brillant discours! fut son appréciation.

— Vous ne me preniez tout de même pas pour une petite gourde écervelée? lança-t-elle d'un air légèrement provocant.

— Absolument pas.

Son sourire complice devint soudain condescendant. Il prit un air distant.

Gina, blessée, regarda au loin et déclara abruptement :

— Bon, j'y vais. A bientôt.

D'un geste désinvolte, elle les salua de la main.

En s'éloignant, elle sentit le regard de Rémi posé sur elle. Elle en éprouva une immense satisfaction. De plus, il allait rester quelque temps dans les environs, et elle s'en réjouissait. Elle le reverrait sous peu. Dans de meilleures conditions, peut-être...

Après tout, il l'avait embrassée. Elle porta un doigt à ses lèvres au souvenir de cette merveilleuse sensation. Si l'occasion se représentait, il n'hésiterait certainement pas à l'embrasser de nouveau. Et au besoin, elle forcerait le destin... Oui, décidément, elle le reverrait, bientôt.

2

Gina se prit la tête dans les mains. Ces vieux souvenirs la hantaient sans relâche. Elle ne pouvait les chasser. D'une minute à l'autre, quelqu'un allait remarquer son absence et se mettrait à sa recherche. Rémi devinerait immédiatement pourquoi elle se cachait.

En fait, elle ne se cachait pas vraiment, mais c'était ce qu'il croirait. Elle se promit de rejoindre les invités dans une minute. Elle désirait savourer quelques instants encore le calme et la paix de la maison.

Malheureusement, son esprit ne parvenait pas à s'apaiser. Il bouillonnait au contraire de pensées troublantes : en particulier, le souvenir d'un certain jour d'été, neuf ans plus tôt, où elle n'avait pas trouvé la paix, loin de là, le long d'une plage sereine.

... Elle souleva négligemment du pied un paquet d'algues déposé par la marée haute. Elle n'avait pas vu Rémi depuis trois jours, depuis son essai de moteur. Un petit morceau de bois reposait sur le sable, poli et blanchi par le sel et le soleil. Une herbe dorée poussait en touffes éparses et drues et faisait ressortir l'éclat d'un bouquet de petites fleurs mauves.

Mais Gina ne les voyait pas. Elle ne remarquait pas non plus le rose pâle des liserons, ni les coquillages aux couleurs vives. Rémi était parti et n'était pas revenu. Elle avait naïvement cru, d'après les paroles de Peter, qu'ils avaient choisi son petit village comme port d'attache.

« A bientôt », leur avait-elle jeté, pleine de confiance. Pour elle, ce n'était pas un adieu.

Avec un soupir de découragement, elle décida de quitter la plage pour escalader la dune. Un spectaculaire amas de rochers se dressait devant elle : certains ronds et lisses, d'autres tourmentés et déchiquetés. Les mouettes planaient au-dessus d'elle, poussaient des cris perçants, plongeaient soudain en dessinant dans le ciel des figures gracieuses et acrobatiques. De petites fleurs bleues s'accrochaient obstinément à la pierre; la brise faisait ployer leurs tiges souples.

Avant de rentrer chez elle, Gina se détourna de sa route pour faire un crochet par le port. Elle se refusait à admettre le départ définitif de Rémi. Elle ne s'attendait pas vraiment à y trouver la « Sorcière des Mers », elle était même certaine du contraire et faillit bien ne pas voir le yacht, car il était là. Quand elle le reconnut, elle s'élança vers le quai, mais contrôla à temps son enthousiasme pour se diriger nonchalamment vers le bateau.

Rémi se tenait sur le pont. Il recousait une voile déchirée.

— Vous faites un petit ourlet? se moqua-t-elle.

Il lui jeta un rapide coup d'œil.

— Bonjour, Gina. Veux-tu monter à bord?

Il s'était déjà repenché sur son ouvrage.

Elle eut préféré un accueil un peu plus ardent, une invitation un peu moins condescendante. Il la traitait comme une enfant. Mais trop heureuse de le revoir, elle ne s'en soucia pas plus longtemps et sauta prestement à bord.

— Où est Peter? fut sa première question.

— Il est descendu à terre faire des courses.

Elle brûlait d'envie de l'inviter à dîner chez son grand-père, mais c'était peut-être un peu prématuré. Elle s'adossa au mât et le regarda travailler.

— Je commençais à désespérer de votre retour, avoua-t-elle.

Il leva les yeux vers elle. Une lueur malicieuse dansait dans son regard.

— Je n'allais tout de même pas quitter ma petite amie sans la revoir une dernière fois.

Il détailla d'un air espiègle ses jambes dorées, longues et minces. Mais il se moquait d'elle en l'appelant sa petite amie, elle le savait.

— Allons donc, Rémi, vous êtes du genre à avoir une petite amie dans chaque port!

Elle eut un petit rire forcé en imaginant soudain toutes les femmes qu'il avait dû tenir dans ses bras. Le démon de la jalousie s'empara d'elle. Elle avait seulement seize ans. Quelle chance avait-elle de séduire un homme comme lui?

— Jalouse?

Il plissa les yeux mais ne sourit pas en la taquinant.

Gina releva le défi.

— Non, pourquoi le serais-je? Je ne suis même pas votre petite amie. Un simple baiser ne vous lie pas corps et âme à quelqu'un! Du moins, pas dans mon entourage...

— C'est vrai, tu es une fille pleine d'expérience. Si tu veux te rendre utile, tu peux descendre faire du café. Tu trouveras le café soluble sur l'étagère à côté du réchaud. Tu vas y arriver?

— Oui, je pense. J'ai appris à me débrouiller depuis la mort de ma grand-mère, vous savez.

Elle mit la poudre dans les gobelets. L'eau commençait à bouillir dans la casserole. Elle sursauta lorsque Rémi entra dans la cabine.

— C'est bientôt prêt, dit-elle sèchement, en se tournant vers le réchaud.

— Je ne suis pas pressé.

Il s'assit derrière elle, sur la banquette.

— Qu'est-il arrivé à tes parents, Gina?

— Ils se sont perdus en mer. J'avais deux ans.

Elle avait parlé sans émotion. Elle ne les avait pas vraiment connus, donc ne répugnait pas à en évoquer le souvenir.

— Ton père était pêcheur de homards, comme ton grand-père?

— Non, il était avoué, spécialiste du droit maritime. Il adorait la mer, m'a dit Grandpa. Ma mère aussi, je crois. Ils naviguaient souvent. Un jour, ils ont été pris dans une tempête et ne sont jamais revenus.

— Et tes grands-parents t'ont élevée, conclut-il.

— Ils ont été merveilleux pour moi.

Toute la chaleur de sa profonde affection passa dans sa voix.

— Nous avons perdu grand-mère il y a deux ans. Son cœur s'est arrêté tout seul d'après les médecins. Depuis, je vis seule avec Grandpa. Il est adorable.

L'eau commençait à s'évaporer dans la casserole. Gina la retira du feu, la versa dans les gobelets et en tendit un à Rémi. Elle lui offrit du sucre et du lait concentré, mais il refusa.

— Je le bois noir.

Il lui fit signe de s'asseoir sur la banquette d'en face.

— Qu'as-tu fait ces trois derniers jours, raconte-moi.

— Rien de spécial, répondit-elle avec un haussement d'épaules.

« J'attendais ton retour », ajouta-t-elle en son for intérieur.

— Aucun rendez-vous?

Il se moquait d'elle à nouveau.

— Non.

Son café était trop chaud, elle le savait. Pourtant elle en avala une gorgée et se brûla la langue.

Il posa sur elle ses yeux bleus étincelants.

— Une jeune fille aussi belle que toi doit avoir un ou deux soupirants.

Extrêmement susceptible quant à son âge, Gina essaya de ne pas laisser paraître son irritation. Il lui rappelait sa jeunesse pour la taquiner. Peu lui importait si elle avait un soupirant!

— J'en ai un ou deux, admit-elle.

Sans doute, mais Rémi était le seul homme qui l'attirait.

— Mais rien de bien important, conclut-elle.

Un éclair vert illumina ses yeux quand elle le regarda; elle s'empressa d'abaisser ses longs cils noirs et recourbés.

— Et vous?

— As-tu déjà oublié? Je suis censé avoir une petite amie dans chaque port. Tu l'as dit toi-même. Pourquoi me limiter, si j'ai un tel choix? Toutes me sont également chères.

— J'ai peut-être légèrement exagéré, admit-elle, mais vous avez dû connaître beaucoup de femmes. Elles doivent être folles de vous.

Et elle les haïssait avec toute la violence de ses seize ans.

Il sembla s'amuser de sa réponse : elle devait être folle de lui, pensa-t-il.

Gina releva le menton dans un air de défi. Elle allait se montrer adulte et femme.

— Et vous leur faites l'amour?

Cette question prodigieusement indiscrète le décontenança. Toute trace de moquerie disparut de ses yeux limpides.

— Tu veux dire... est-ce que je les embrasse, ou

bien... Comment as-tu dit, l'autre jour? Est-ce que je les emmène dans les buissons?

La subtile inflexion érotique de sa voix la fit rougir. Elle baissa la tête vers sa tasse : avec un peu de chance, il attribuerait ses couleurs à la chaleur du café.

— Je voulais dire... Une fille doit-elle vous tomber dans les bras parce que vous daignez sortir avec elle?

— Dans une scène de séduction, les acteurs sont tous deux consentants, Gina. Où mène cette conversation, au juste, demanda-t-il sans transition.

— A rien dc particulier. Nous discutons, c'est tout.

La ligne dure de sa bouche la mit mal à l'aise.

— C'est tout?

Il répéta sa dernière phrase sur un ton d'incrédulité sarcastique. Il semblait avoir du mal à maîtriser sa colère. Il se leva avec humeur et vida le reste de son café dans l'évier.

— Il est très dangereux de te laisser courir à ta guise, il faudrait le dire à ton grand-père. Il devrait te boucler à la maison. On te presserait le nez, il en sortirait encore du lait!

— Qu'en savez-vous? jeta-t-elle.

Elle avait les larmes aux yeux. Il l'avait vertement remise à sa place et elle se sentait insultée.

Elle se leva à son tour et versa elle aussi son café dans l'évier. Quand elle se retourna, Rémi la saisit par le poignet.

— Vous me faites mal, protesta-t-elle.

— Tu as besoin d'une bonne leçon, marmonna-t-il, et il l'attira contre lui.

Sa bouche se referma sur celle de la jeune fille en guise de représailles. Il l'écrasa contre lui. Mais très vite la douceur de ses formes féminines apaisa sa colère.

La pression de ses lèvres se fit sensuelle. Gina enlaça son cou et s'abandonna innocemment dans ses bras.

Soudain, il s'écarta violemment de son tendre corps. Elle essaya de le retenir, le supplia de continuer.

Il s'arracha à son étreinte avec une grimace.

— Arrête de jouer les grandes avec moi, fillette. Rentre chez toi, et attends d'avoir l'âge avant de jouer avec le feu!

Il avait un regard glacial, comme un ciel d'hiver. Elle se sentit paralysée. Alors elle libéra rageusement ses poignets et remonta précipitamment sur le pont. Elle faillit renverser Peter qui revenait avec les provisions.

Une fois à terre, elle ralentit sa course folle et s'efforça de marcher d'un air calme et dégagé. Rémi avait porté atteinte à sa fierté; elle en éprouvait à la fois de la haine et une vive douleur. Son jeune âge aggravait encore ce cuisant sentiment d'humiliation. Elle se mit à souhaiter la fin du monde.

Deux jours durant, elle évita de se rendre au port. Elle fuyait également tous les lieux où elle risquait de rencontrer Rémi. Le village étant relativement petit, elle dut se cloîtrer chez elle.

Le troisième jour, son grand-père, en revenant de la pêche, lui annonça que la « Sorcière des Mers » avait largué les amarres. Gina put en toute liberté retrouver ses lieux de promenades favoris sans crainte de tomber sur Rémi.

Après la vaisselle, elle quitta discrètement la maison. Son grand-père réparait des casiers à homards : il n'aurait sûrement pas besoin d'elle avant le dîner. Elle marchait rapidement, comme si elle essayait d'échapper à la sourde douleur qui la tenaillait. Il était trois heures de l'après-midi. Le soleil dardait sans pitié ses rayons. Elle ne tarda pas à être en nage. La perspective d'une bonne baignade lui sourit.

Elle rentra chez elle se changer, prit son maillot de bain et une serviette, et se mit en route vers sa petite plage préférée. Elle descendait le long du sentier rocailleux lorsque soudain son regard fut attiré vers le rivage. Elle fit une pause. Quelqu'un sortait de l'eau. Elle se figea sur place quand elle reconnut Peter. Quelle ne fut pas son anxiété en voyant Rémi s'approcher à la nage!

Le bon sens lui soufflait de s'enfuir avant d'être vue, mais son orgueil la poussa à rester : Rémi n'était rien pour elle, et elle allait le lui faire savoir. Elle refusait puérilement de lui montrer combien il l'avait blessée en rejetant son amour. D'un air déterminé, elle continua son chemin.

— J'ai hâte de remonter sur le bateau pour siroter une bonne bière, déclara Peter, essoufflé.

Rémi ne fit aucun commentaire. Gina foula enfin le sable du pied. Il l'observait farouchement. Elle détourna immédiatement son regard et prit une expression hautaine, pleine de dédain. Peter se retourna pour voir ce qui retenait ainsi l'attention de Rémi et le rendait si maussade.

— Bonjour Gina! s'exclama Peter.

— Salut, Peter.

Elle omit délibérément de saluer Rémi, et il en fit de même. Du coin de l'œil, elle vit le regard de Peter passer de l'un à l'autre : il y avait de l'orage dans l'air, il le sentait. Elle étala sa serviette sur le sable et ôta ses sandales.

— L'eau est bonne?

— Assez, répondit Peter mal à l'aise; vois-tu... Heu... Nous étions sur le point de partir. Si je reste une minute de plus au soleil, je vais devenir rouge comme une écrevisse.

Il eut un petit rire gêné.

La peau blanche de Peter, en effet, ne bronzait pas aisément, et avait plutôt tendance à se parsemer de taches de rousseur. Il se forçait à en plaisanter afin de couvrir le silence troublant de Rémi.

— Eh bien, partez, cela m'est complètement égal, lança-t-elle d'un ton indifférent.

Tout à coup, Rémi demanda sèchement :

— Tu attends quelqu'un?

Elle se tourna vers lui. Une expression froide et dédaigneuse se peignait sur son visage.

— Non, mais je ne vois pas en quoi cela vous regarde.

— Tu ne devrais pas te baigner seule.

— Je l'ai fait des centaines de fois, et rien ne m'est jamais arrivé. Je suis une très bonne nageuse.

— Cela ne change rien, maugréa-t-il.

— Ah bon? Sachez tout de même, à titre d'information, que je m'arrange toujours pour avoir pied.

— Vraiment?

Ses yeux d'un bleu d'acier s'attardèrent complaisamment sur sa bouche et sur sa poitrine. Les joues de Gina s'empourprèrent aussitôt.

— Il pourrait t'arriver des ennuis, poursuivit-il.

— Dans ce cas, je me garderai bien de vous appeler à l'aide, grommela la jeune fille. Allez boire votre bière et laissez-moi tranquille.

L'air excédé, elle se dirigea vers le rivage.

— Peter, retourne au bateau, ordonna sèchement Rémi, je reste ici pour la surveiller.

Comme s'il s'agissait d'une enfant! pensa rageusement Gina. Elle s'élança vers les vagues et plongea sous l'eau pour dissimuler son humiliation. Pendant quelques minutes, elle s'efforça de faire reculer au maximum les limites de sa résistance physique. Puis elle dut se résoudre à adopter un rythme moins épuisant et à se rapprocher du rivage.

Après son effort surhumain, elle ne voulait pas risquer de défaillir en eau profonde et d'obliger ainsi Rémi à venir à sa rescousse.

Elle se hasarda une seule fois à jeter un coup d'œil

vers la plage pour voir s'il était resté : il était bien là, et Peter avait disparu. Elle resta dans l'eau aussi longtemps que possible, afin d'impatienter Rémi.

Finalement, ses muscles se rebellèrent et se mirent à trembler. Elle se décida à sortir de l'eau. Elle arbora un air distant. Cette longue attente n'avait en rien amélioré son humeur. Le masque impénétrable et comme ciselé de son visage s'était durci davantage.

Gina l'ignora totalement et regagna sa serviette. A bout de forces, elle aurait aimé se jeter sur le sable, mais cela aurait révélé une certaine faiblesse. Pour rien au monde elle n'aurait voulu se laisser aller devant Rémi. Elle ramassa sa serviette et entreprit de se sécher vigoureusement. Rémi n'avait pas bougé, mais avait légèrement tourné la tête pour mieux l'observer.

— Vous pouvez disposer, maintenant. Vous voyez, j'ai survécu à cette baignade solitaire, et cela sans votre aide!

Sa voix était empreinte d'amertume, et tremblait légèrement.

— Je te sais maintenant en sécurité, au moins.

— Si le rôle de tuteur vous amuse, libre à vous! Mais maintenant, vous n'avez plus rien à faire ici, alors allez-vous-en!

Ses yeux verts lançaient des éclairs furieux.

Il se leva et marcha vers elle.

— Tu es la plus insolente des petites chipies que je connaisse! Tu mériterais une bonne fessée pour t'apprendre à respecter tes aînés et t'enseigner les bonnes manières!

La jeune fille se raidit.

— Je vous défends de me toucher!

Elle ne l'aurait pas plus provoqué en agitant une cape rouge sous son nez. En une seconde, il la souleva de terre et, sans se soucier de ses protestations véhémentes ni de ses coups de pied, il la porta vers un gros rocher.

Elle se débattait, jurait, lui jetait à la tête tous les adjectifs possibles et imaginables. En vain. Il la renversa sur ses genoux et lui administra une correction magistrale. Enfin il la relâcha.

Les larmes ruisselaient sur le visage de la jeune fille, causées par la douleur cuisante mais surtout par l'affront irréparable qu'elle avait subi. Elle craignait de se mettre à hurler si elle ouvrait la bouche pour l'injurier. Elle lui lança un regard noir et s'enfuit en trébuchant pour récupérer la serviette de bain tombée dans la bagarre. Une fois sur le sable, elle s'écroula sur ses genoux et sanglota jusqu'à l'épuisement.

Une ombre se projeta sur son corps recroquevillé. Rémi vint s'agenouiller près d'elle. Mais elle ne pouvait sécher ses larmes, et hoquetait à perdre haleine. Il effleura d'une main son épaule.

— Pardonne-moi, Gina, murmura-t-il doucement.

— Fichez-moi la paix, dit-elle en serrant les dents.

Elle s'écarta de sa main.

— Mon Dieu, Gina, je ne t'en veux pas de me détester pour ce que je t'ai fait.

Il posa de nouveau une main sur son épaule, mais cette fois, de manière plus autoritaire. Il l'obligea à se redresser et l'attira contre sa poitrine. La fatigue physique et émotionnelle l'empêcha de résister. Elle le laissa caresser ses cheveux mouillés et enfouit la tête au creux de son épaule. Il approcha sa bouche de sa longue chevelure.

— Pardonne-moi, Gina, pardonne-moi, répétait-il.

Tout en le haïssant, la jeune fille trouvait un certain réconfort dans son étreinte. Au creux de ses bras, ses sanglots se réduisirent à quelques hoquets. Il effleura ses tempes de ses lèvres. Elle sentit la chaleur de sa respiration caresser sa peau, et releva légèrement la tête. Rémi se mit à sécher les larmes de Gina par ses baisers.

Il glissa une main le long de son cou pour l'obliger à

le regarder dans les yeux. Elle s'arrêta de respirer, comme si elle n'avait plus besoin d'air. Il semblait explorer chaque centimètre de son visage. Il posa la bouche sur ses lèvres entrouvertes. Elle goûta le sel de ses propres larmes dans ce baiser. Sous la pression de sa main, elle s'arqua contre lui.

A travers son maillot de bain humide, elle sentait les battements réguliers du cœur de Rémi. Ses seins s'écrasaient contre son buste cuivré. Une chaleur monta en elle et remplaça la froide humiliation.

Gina, d'abord passive, lui rendit peu à peu son baiser. Sa bouche se fit plus exigeante. Elle y mit toute l'ardeur de sa jeune expérience.

Il releva légèrement la tête; leurs respirations se mêlaient.

— Ouvre les lèvres, Gina, ordonna-t-il d'une voix rauque.

Elle obéit. Il se pencha de nouveau sur elle; elle ressentit la plénitude sensuelle d'un profond baiser entre un homme et unc femme. Cette découverte la laissa pantelante; le feu courait dans ses veines.

Ellc finit par ployer sous son poids. Ses omoplates touchèrent le sable. Elle flottait comme dans un rêve, prise de langueur au contact de la douce chaleur de son corps.

Elle se grisait de son odeur virile : celle du sel marin mêlée à une senteur de musc exhalaient un parfum enivrant. Elle caressa les muscles puissants de son dos et de ses épaules; elle essayait de lui rendre le plaisir qu'il lui procurait.

Le lit de sable était doux, mais le nœud de son maillot de bain, sous sa nuque, formait une boule douloureuse. Elle fut soulagée lorsque Rémi le dénoua et écarta ses bretelles.

Il arracha enfin sa bouche de la sienne pour explorer sa tendre gorge. Jamais elle n'avait éprouvé une telle ivresse. Elle renversa la tête en arrière pour mieux s'offrir à ses baisers.

Quand il lui mordilla le lobe de l'oreille, de délicieux frissons parcoururent sa peau. Ses lèvres carressèrent ensuite la soie délicate de son cou.

Un millier de sensations nouvelles l'assaillirent lorsqu'il fit glisser le haut de son maillot et moula ses seins dans la paume de sa main. Il lui vint à l'esprit de protester, mais bien vite elle oublia toute appréhension passagère sous ses pressions douces et fermes.

Il finit par embrasser la pointe de ses seins, jusqu'alors vierge de tout baiser. Un désir brutal explosa en elle. La violence de cette émotion faillit la submerger, mais Gina s'arracha au tourbillon de passion incontrôlée, apeurée soudain devant tant d'inconnu.

Rémi retourna immédiatement aux lèvres de la jeune fille. Son baiser brûlant la fit replonger aussitôt dans le tourbillon effréné des sens. Elle redevint soumise et offerte sous ses caresses. Il avait su vaincre de main de maître sa première résistance.

Elle se mit à jouer avec son épaisse chevelure sombre, lorsque soudain il s'arracha d'elle et s'éloigna pour s'accroupir dans le sable, le dos tourné. Stupéfaite, Gina ne bougea pas, les yeux rivés sur les épaules voûtées et la tête penchée de son compagnon. Il s'efforçait de contrôler tant bien que mal sa respiration hachée.

— Rémi? murmura-t-elle d'une voix éperdue.

Elle s'assit et replia ses jambes tremblantes. Elle recouvrit sa nudité, rattacha la bretelle de son maillot, et se dirigea vers lui.

Il l'entendit, ou devina son intention :

— Ne m'approche pas.

Sa voix n'était pas assurée, mais l'ordre était sans appel.

— Pourquoi? articula-t-elle d'un ton suppliant.

Il se passa la main dans les cheveux et répondit d'un air bourru :

— J'ai besoin d'être seul deux minutes, ne le comprends-tu pas?

— Mais... Ai-je... Ai-je fais quelque chose de mal? demanda-t-elle d'une voix hésitante.

Elle trahissait son jeune âge et son manque d'expérience en cherchant à comprendre la raison du retrait brutal de Rémi.

Il secoua imperceptiblement la tête en signe de négation.

— Toi, tu n'as rien fait de mal, répondit-il.

Et il poussa un profond soupir qui exprimait tout son dégoût de lui-même.

— Mais alors pourquoi?

— Pourquoi?

Il cria presque en disant ce mot, éclata d'un rire douloureux et se tourna vers elle.

Son rire amer et tonitruant s'arrêta net en la voyant. Il la regarda un long moment. Sur le visage de Gina se lisait encore un plaisir sensuel, mais elle ne s'en rendait pas compte. Ses lèvres étaient entrouvertes et gonflées par ses baisers possessifs. Des lueurs de désir s'attardaient dans ses yeux verts étincelants. Toute la douceur de l'abandon se peignait sur ses traits.

Les yeux de Rémi s'assombrirent et prirent une teinte bleu nuit. Gina crut un moment qu'il allait la reprendre dans ses bras et l'étreindre sauvagement; mais un masque de cuivre tomba sur son visage pour en accentuer la dureté.

Il se redressa avec souplesse, saisit les bras de la jeune fille et l'obligea à se relever. Elle voulut se blottir contre lui, mais il l'en empêcha, et ses bras de fer la tinrent à distance.

— Tu ne veux pas de moi, Rémi?

Elle avait posé cette question en toute innocence, sans peser l'implication charnelle de ses mots.

Les muscles de sa mâchoire carrée tressaillirent. Il la lâcha et se pencha pour ramasser sa serviette de bain. Il murmura, les dents serrées :

— Tu ne devrais pas poser de telles questions, Gina.

La jeune fille saisit alors le sens de sa phrase et devint écarlate. Une pensée folle lui traversa l'esprit : elle voulut l'entendre lui avouer son désir. Il lui tendait sa serviette, mais elle ne la prit pas.

— Tu ne veux pas de moi? répéta-t-elle avec obstination.

— Mon Dieu! s'exclama-t-il, et il la rapprocha violemment de lui.

Elle leva les yeux et observa la colère impatiente de son expression. Il porta toute son attention sur la bouche de la jeune fille. Il résistait avec peine à la douceur de ses lèvres entrouvertes. Il l'attira encore plus près.

— Oh, si! articula-t-il, la voix brisée, et il l'embrassa ardemment.

Ses bras l'encerclèrent comme dans un étau, il l'écrasa contre sa poitrine nue. Collée contre lui, Gina, pour la première fois de sa vie, sentit la douleur du désir au plus profond d'elle-même.

Avec un grognement, Rémi la repoussa et lui mit la serviette entre les mains. Gina ne protesta pas. Elle venait de découvrir l'effet dévastateur de son contact, elle en avait perdu la tête, elle en était encore bouleversée. Cela n'arrivait donc pas seulement dans les romans d'amour!

— Rentre chez toi, Gina, ordonna-t-il sans ménagement, rentre chez toi avant que...

Il se tut sans terminer sa phrase.

— Je...

Elle voulait dire quelque chose, mais elle ne savait quoi.

Rémi se détourna, une main sur la nuque.

— Tais-toi maintenant, supplia-t-il.

Elle baissa la tête; ses cheveux d'un noir d'ébène tombèrent sur son visage en une pluie soyeuse. Elle se dirigea vers le sentier rocailleux, puis hésita.

— Je suis désolée, murmura-t-elle, sans vraiment mesurer la portée de ses paroles.

— Tu es désolée! s'exclama-t-il.

Il la transperça de son regard d'azur.

— Et bien pas moi, et ça me dégoûte! acheva-t-il.

Un frisson glacial la parcourut. Ses articulations étaient blanches tant elle serrait nerveusement sa serviette. Un fossé se creusait entre eux, et elle en fut effrayée.

— Nous reverrons-nous? gémit-elle.

— Non, si je peux l'éviter.

— Rémi, implora-t-elle.

— Es-tu trop jeune pour comprendre ce qui se passe?

— Ça m'est égal.

Les mots sortaient péniblement de sa gorge.

— Tu as tort, jeta-t-il méchamment.

— Vas-tu partir?

Il poussa un douloureux soupir avant d'avouer à contre-cœur :

— Pas tout de suite.

— Alors je te reverrai?

— C'est inévitable, je suppose.

Rémi se dirigea vers le rivage. Il ne regarda pas Gina remettre ses sandales et grimper le sentier de la dune. La jeune fille se sentait prise au piège entre l'amour aveugle et le désespoir.

3

— Un de tes amis est parti aujourd'hui, annonça froidement Nate Gaynes à sa petite-fille.

— Ah bon? répondit-elle distraitement.

Elle essayait d'attraper un petit pois dans son assiette.

— Oui, confirma son grand-père.

Les ans avaient argenté ses cheveux, jadis noirs comme ceux de Gina, mais n'avaient pas entamé son esprit d'observation. Il la regardait avec perspicacité.

— Il a été prévenu par radio, et il a dû rejoindre sa famille de toute urgence. Il a pris l'avion pour rentrer chez lui.

Jusqu'alors, la jeune fille n'avait pas prêté attention aux paroles de son grand-père. Elle avait cru qu'il parlait d'un ami d'école qui partait en vacances. Mais non, maintenant, c'était clair.

— Quelqu'un de la Sorcière de Mers?

— Oui, dit-il en plongeant le nez dans son assiette.

— Lequel? s'enquit-elle, le souffle coupé.

— Le blond.

Elle poussa un soupir de soulagement.

— C'est Peter, commenta-t-elle.

— Oui, un nom comme ça.

Gina se tut. Elle envisageait mentalement les conséquences de cette nouvelle. Depuis ce fameux après-midi sur la plage, elle avait revu Rémi à trois reprises, mais toujours en présence de Peter. Il jouait les chaperons sans s'en apercevoir. Mais elle avait beaucoup discuté avec lui : Rémi, en effet, lui avait à peine adressé la parole.

Ces rencontres n'avaient pas satisfait la jeune fille. Pourtant elle avait quelquefois surpris le regard de Rémi posé sur elle, alors qu'elle parlait avec son équipier. Une lueur de désir éclairait ses prunelles, mais il s'était ressaisi en se sentant observé. Pas une fois il n'avait cherché à se trouver seul en sa compagnie.

Maintenant Peter était parti. Il ne serait plus là pour les séparer. Elle reprit soudain espoir. Avant de donner libre cours à son bonheur, une autre question lui vint à l'esprit :

— Et Rémi, quand va-t-il partir?

— Incessamment, je pense, s'il est raisonnable. Mais il devrait engager un autre équipier avant de remonter sur Boston, à mon avis. Ou bien attendre le retour de Peter, s'il revient.

Nate Gaynes s'adossa plus confortablement et sortit une pipe de sa poche.

Rémi était raisonnable, se dit Gina. Mais il lui serait difficile de trouver un nouvel équipier. La plupart des marins de la région étaient déjà employés. Il lui faudrait au moins deux jours, si tout se passait bien, pour remplacer Peter.

Gina rayonnait à l'idée de revoir Rémi en tête à tête. Rien ne pourrait l'en empêcher. Et lui, en tous cas, le désirait sûrement autant qu'elle, en dépit des apparences.

— Tu as l'air gaie comme une palourde, remarqua son grand-père.

Il tirait paisiblement sur sa pipe.

La jeune fille rougit légèrement et se mit à débarrasser la table.

— Je ne vois vraiment pas ce que tu veux dire, Granpa.

— Depuis le début de la semaine, tu erres dans cette maison comme une âme en peine. Tu me rappelles ton père, à l'époque où il faisait la cour à ta mère, peu avant leur mariage; elle fréquentait également les fils Wilkes, et cela le chagrinait : il se comportait exactement comme toi.

— Comment peux-tu te rappeler des temps aussi lointains, Grandpa, plaisanta-t-elle afin de changer de sujet de conversation.

— C'est comme ça. Je constate que tu ne me contredis pas.

La douce odeur du tabac remplissait peu à peu la cuisine.

— Te contredire?

Elle affectait un air d'incompréhension détachée.

— Tu admets donc ton admiration pour ce Rémi.

— Que veux-tu dire par là?

Elle finit d'entasser la vaisselle dans l'évier et fit couler l'eau chaude.

Nate Gaynes ne releva pas sa question et poursuivit :

— Il est nettement plus âgé que toi. Tu t'en rends bien compte, j'espère?

— Tu avais onze ans de plus que grand-mère, lui fit-elle observer judicieusement.

Il ne releva pas non plus ce commentaire.

— Et tu ignores tout de son attitude envers les femmes. Il est riche, il a de l'éducation, et toutes doivent lui tomber dans les bras. Cela ne doit pas le rendre très respectable. Il doit avoir l'habitude de prendre ce qu'il veut et de le jeter une fois rassasié.

— Tu n'en sais rien, protesta faiblement Gina.

— Il a plutôt l'air sûr de lui, tu dois l'admettre.

Gina ne répondit pas. Son grand-père fit quelques ronds de fumée avant de continuer :

— Une dernière remarque : il va partir bientôt, et ne reviendra sans doute jamais par ici.

— Qu'essaies-tu de me dire, grand-père?

Devant son raisonnement froid et pessimiste, elle n'avait plus le cœur de lui parler affectueusement.

— Veux-tu m'empêcher de le revoir?

— Non, répondit-il avec lenteur, je ne prétends pas te dicter ta conduite. Seulement je ne veux pas te voir perdre la tête pour des chimères.

— D'accord, Grandpa, admit la jeune fille.

Mais ces paroles l'avaient emplie de désespoir. Il lui fallait voir Rémi. Tout retomberait dans l'ordre, si elle pouvait seulement le revoir. La mise en garde de son grand-père s'avèrerait alors vide de sens.

Elle put le rejoindre le lendemain. Il était sur le pont de son bateau et faisait briller les cuivres. Il entendit son pas sur le ponton de bois, leva la tête, la salua sèchement et reprit sa tâche.

— Bonjour. Tu travailles dur, je vois.

— J'essaye, dit-il avec un petit sourire.

— Alors Peter est rentré chez lui hier?

— Oui, sa sœur a eu un accident de voiture, expliqua-t-il en se redressant.

— C'est grave?

— Pas autant qu'on le craignait. Il m'a téléphoné hier soir pour me donner des nouvelles.

Il jeta un coup d'œil à sa montre.

— A-t-il annoncé son retour? interrogea-t-elle d'un ton faussement détaché.

— Si l'état de sa sœur continue de s'améliorer, il rentrera à la fin de la semaine.

— Et tu restes seul tout ce temps-là?

Elle eut un sourire forcé; allait-il lui proposer de passer quelques moments avec elle?

Rémi haussa les épaules.

— J'aime être seul.

Elle se mordit les lèvres.

— Si tu veux, un soir, tu peux venir dîner avec moi et Grandpa, proposa-t-elle timidement.

— Peut-être.

En réalité, il était peu probable qu'il acceptât son invitation.

— Je peux t'aider à polir les cuivres...

— Non, ça va, merci.

Elle eut une légère moue de dépit. Sa compagnie était indésirable : Rémi le lui faisait clairement sentir. Ses beaux yeux verts se mouillèrent de désarroi mais ses longs cils noirs voilèrent sa tristesse. Elle puisa en elle un reste de fierté pour surmonter sa désillusion.

— Bon, je vais te laisser travailler, déclara-t-elle prête à partir.

— Gina!

Elle se retourna, l'œil plein de reproche.

— Si tu veux te rendre utile, prépare du café.

Il avait parlé comme malgré lui, et, aussitôt, son visage s'assombrit et prit une expression tourmentée; il semblait s'en vouloir terriblement.

Gina hésita : il regrettait apparemment sa proposition.

— Tu te suffis à toi-même, Rémi, tu sais faire le café, j'en suis persuadée.

Son regard se durcit. Il se remit à faire briller les cuivres et dit :

— Je te demande de rester.

C'était son dernier mot, à prendre ou à laisser. Il n'allait pas la supplier. La décision appartenait entièrement à la jeune fille. C'était peut-être pour elle la dernière occasion de se trouver seule avec lui. Ravalant son orgueil, Gina resta.

Sans un regard, il lui dit :

— Tu connais les lieux. Quand ce sera prêt, apporte le café sur le pont.

Elle se sentit pleine d'amertume. Ils allaient prendre le café sur le pont, bien sûr, pour être vus de tout le monde! Au lieu d'un seul chaperon, Peter, ils en auraient au moins une douzaine. Le cœur lourd, elle descendit dans la cabine.

Elle suivit ses ordres et quand ce fut prêt, apporta le café sur le pont. Elle s'attendait presque à voir Rémi continuer d'astiquer et ignorer sa présence. A sa grande surprise, il posa son chiffon.

Ils laissèrent refroidir un peu les tasses, et parlèrent de voile, de la côte du Maine, du temps, et d'autres sujets frivoles. Il se comportait amicalement, et Gina en éprouva un immense plaisir. Elle nageait dans le bien-être, tous ses ressentiments oubliés.

— Il va faire bon, ce soir, déclara-t-il.

Elle scruta le ciel où flottaient, très haut, des cirrus. Des queues de jument, se dit-elle, cela promet de la pluie pour demain. Mais elle ne fit pas part de ses réflexions à Rémi.

— Oui, la nuit sera douce, convint-elle.

Puis elle posa les yeux sur le profil sculpté de son compagnon.

— Le temps idéal pour un bain de minuit, ajouta-t-elle.

Il lui jeta un regard perçant.

— Oui, sans doute, admit-il d'un air désinvolte.

— Tu as prévu quelque chose pour ce soir?

— Non, rien de spécial.

Sa mâchoire s'était durcie.

— Et bien, conclut-elle impatiemment, dois-je te demander de prendre un bain de minuit avec moi?

Rémi répondit d'un ton vaguement irrité :

— Gina... pourquoi ne pas inviter un gentil garçon de ton âge? Vous vous promèneriez sur la plage, main dans la main, échangeriez un ou deux baisers sous les étoiles, et voilà! Tu as seulement besoin d'un peu de tendresse.

Il soutint sans ciller son regard.

— Moi, je suis un homme, Gina, je ne sais plus jouer à ces petits jeux inoffensifs. Il te faut quelqu'un qui ne désire pas faire l'amour avec toi dès qu'il te prend dans ses bras.

— C'est peut-être ce dont j'ai envie...

— Ne fais pas exprès de me provoquer, Gina, intima Rémi.

Malgré lui, il laissa ses yeux tourmentés errer sur le corps de la jeune fille, contredisant l'indifférence qu'il affichait.

— Si tu avais deux sous de bon sens, tu me fuirais comme la peste, acheva-t-il.

— Suis-je vraiment belle?

— Tu le sais bien.

Il la regarda de nouveau, comme à regret.

— Tes yeux d'émeraude, si séduisants, aussi dangereux que les abysses...

Il s'interrompit et s'écarta brusquement d'elle. Il se tenait debout, les jambes légèrement écartés pour épouser le doux roulis du bateau, les yeux perdus au large.

Gina était encore enchantée par ces paroles, prononcées à regret; Rémi s'était tu trop tard, quand il comprit brusquement toute l'étendue de son aveu.

Sûre désormais de lui plaire, elle s'approcha de lui.

— On ne m'a jamais rien dit de semblable, lui confia-t-elle ingénument.

Pas un muscle ne bougea sur son visage aux traits ciselés. Il ressemblait à une statue du dieu du soleil. La jeune fille brûlait d'envie de le toucher : était-il fait de chair et d'os, ou était-il un pur produit de son imagination?

Comme dans un rêve, elle posa la main sur son bras

cuivré. Sous le contact de ses doigts, il se contracta. Il regarda d'abord sa main, puis son visage.

Un masque impénétrable figeait ses traits, pourtant Gina décela dans ses yeux la flamme de la passion. Il se tourna lentement vers elle, et elle laissa glisser sa main le long de son corps. Il la dominait entièrement du haut de sa virilité. Elle dut pencher la tête en arrière pour mieux le regarder. Quelques centimètres à peine séparaient leurs corps, mais ni l'un ni l'autre n'essayèrent de raccourcir cette distance.

La jeune fille sentit ses sens s'enflammer. Les nerfs à vif elle était dévorée par la passion. Il la séduisait, lui faisait l'amour par la pensée. Cette union spirituelle revêtit pour Gina un aspect réel, comme s'il l'avait vraiment possédée.

La musique imaginaire qui les enveloppait atteignit un crescendo, et leurs cœurs volèrent l'un vers l'autre. Mais leurs corps ne s'effleurèrent pas. Rémi luttait désespérément pour maîtriser son désir.

Il parla bas, d'une voix enrouée par l'émotion.

— Gina... Peux-tu lire dans mes pensées, toi aussi?

— Oui... articula-t-elle dans un souffle.

Le charme qui les envoûtait fut brisé par le long soupir exaspéré de Rémi. Il s'écarta, et le masque sans expression retomba sur son visage.

— Tu ferais mieux de partir, conseilla-t-il froidement.

Ce changement brutal d'attitude déconcerta la jeune fille.

— Je dois d'abord rincer les tasses à café, insista-t-elle, têtue.

— Non, laisse tout cela, je m'en occuperai après ton départ.

Elle ressentait une frustration sans bornes.

— Tu me demandes toujours de partir, protesta-t-elle.

— J'essaie seulement de bien agir, répliqua-t-il.

— Bien agir pour qui? Pour moi? Moi seule peut en juger!

Il réprima un mouvement d'impatience pour dire calmement mais fermement à Gina :

— Je refuse de discuter avec toi. Sois gentille, rentre chez toi avant de provoquer une dispute désagréable entre nous. Nous sommes tous deux extrêmement tendus, prêts à craquer, et ton attitude n'arrange rien.

— Très bien.

Elle se soumit à contre cœur, vaincue par sa logique, et le quitta avec un léger « au revoir! ».

Ce soir-là, elle erra sur la plage paisible. La lune se levait. En dépit du refus de Rémi de la retrouver pour un bain de minuit, elle espérait secrètement sa venue.

Mais la grève était déserte. Seul le murmure de la nuit et le doux bruissement des vagues lui tenaient compagnie. Elle attendit près d'une heure. La lune était presque pleine, quelqu'un avait seulement décroché de sa face un mince croissant d'argent. Elle se résigna finalement à rentrer.

Le lendemain après-midi, elle put vérifier ses prévisions annoncées par les queues de jument et le ciel pommelé de la veille. Une pluie régulière tombait, sans aucune promesse d'éclaircie. Le grand-père de Gina fut contraint de rester chez lui. Elle aussi se voyait prisonnière; elle faisait les cent pas dans la maison, à la recherche d'une bonne excuse pour sortir.

Elle voulait aller voir Rémi, sans que son grand-père le sût. Pour la première fois de sa vie, elle décidait de lui cacher quelque chose. Son sentiment de culpabilité vint accroître sa nervosité.

Le ciel nuageux s'assombrit plus tôt que de coutume. A huit heures et demie, Nate Gaynes s'assoupit dans son fauteuil. Il allait y dormir jusqu'à minuit, au moins, avant d'aller se coucher dans sa chambre : Gina connaissait bien ses habitudes.

Toute la journée, elle avait ressassé dans sa tête les événements de la veille et les paroles de Rémi. Elle avait finalement pris une décision, mais évitait d'y penser de peur de perdre courage. Le profond sommeil de son aïeul était l'occasion rêvée de passer à l'action.

Elle sortit silencieusement de la maison et courut vers le port sous une pluie battante. Arrivée sur le quai, son cœur se mit à battre la chamade. Le hublot de la Sorcière des Mers était éclairé : Rémi était là.

Elle monta prestement à bord et descendit les marches qui menaient à la cabine. Elle frappa à la porte. Rémi lui ouvrit immédiatement : il devait avoir entendu ses pas sur le ponton. Stupéfait, il la regardait fixement, sans remarquer la pluie. Enfin il lui prit le poignet et la fit entrer.

— Que fais-tu dehors par un temps pareil? demanda-t-il d'un ton bourru.

— Je voulais te voir.

Il détailla de nouveau son visage; son chemisier de coton et son pantalon trempés lui collaient à la peau. L'eau dégoulinait sur le plancher de la cabine et ruisselait sur ses joues.

— Tu aurais dû prendre un imperméable, reprocha-t-il avec une irritation mal contenue.

Elle se sentit piteuse comme un chaton mouillé. Elle tremblait des pieds à la tête, plus glacée par son accueil que par le froid.

— Je sais, mais après avoir décidé de venir, j'ai complètement oublié la pluie.

— Attends, ordonna-t-il, je vais chercher une serviette pour te sécher.

Il se dirigea vers l'arrière du bateau. Gina hésita l'espace d'une seconde, puis décida de se débarrasser de ses vêtements mouillés. Ils s'entassèrent sur le sol et formèrent une flaque d'eau. Rémi revenait; elle ne put s'empêcher de croiser pudiquement les bras sur sa poitrine dévêtue.

Il dut courber la tête pour passer la porte et s'arrêta net à la vue de la jeune fille. Il tenait une couverture. Gina se mit à claquer fébrilement des dents. Non pas à cause du froid. L'audace de sa conduite envers Rémi la surprenait elle-même.

Il se tenait dans la pénombre, et elle chercha vainement à lire une expression sur son visage. Ses yeux clairs lui renvoyèrent l'image d'une enfant fluette. Elle voulut par des mots détruire cette vision.

— Je veux faire l'amour avec toi, Rémi. Je suis venue pour cela. Personne ne m'a jamais si bien embrassée. Je me souviens de tes paroles, sur le fait d'être un homme, et de ne plus te contenter de baisers innocents. Je comprends tout cela... et... moi non plus, je ne me contente plus de baisers, je désires plus... je...

— Gina... dit-il avec un triste hochement de tête.

— Non, laisse-moi finir. Tu vas partir un jour, je le sais, sans doute avant la fin de l'été. Peut-être ne nous reverrons-nous jamais. Mais je t'aime, Rémi, et je veux t'appartenir totalement, même pour un temps très court. Je ne te demande rien de plus, je te le promets. Je veux seulement ton amour...

Il marcha lentement sur elle, et sa voix s'évanouit dans un souffle. La faible lueur de la lampe ne parvenait pas à éclairer ses traits. Elle fouilla frénétiquement son visage pour y lire une réponse à sa demande pathétique. Il s'arrêta devant elle, sans dire un mot, un tendre sourire aux lèvres.

Son regard indéchiffrable ne la quitta pas tandis qu'il dépliait la couverture pour en recouvrir ses épaules. Gina trembla au doux contact de la laine sur sa peau nue. Il en rabattit soigneusement les bords.

— Oh, Gina, soupira-t-il tristement.

Elle tressaillit.

— Je t'en prie, Rémi, ne me rejette pas, supplia-t-elle, je ne le supporterais pas.

Il écarta tendrement une mèche de cheveux mouillés de sa joue.

— Un jour, un beau jeune homme viendra, et vous vous marierez dans une grande église; tu porteras une magnifique robe en dentelle, et ton grand-père marchera à tes côtés jusqu'à l'autel. Tu auras de beaux enfants aux yeux verts et aux cheveux noirs. Alors tu n'auras plus mal; tu repenseras à mes paroles, et tu seras heureuse d'être rentrée chez toi aujourd'hui.

— Non, cria Gina dans un sanglot.

— Va-t-en, insista-t-il gentiment, rentre chez toi, et attends d'avoir grandi. Réserve ton amour pour celui qui saura te rendre heureuse.

— Mais je t'aime!

— Non, tu ne m'aimes pas. J'ai seulement éveillé la femme qui sommeille en toi. Maintenant, tu veux pousser plus loin ta découverte, faire des expériences. Je me suis trouvé là à ce moment précis de ta vie, mais je ne suis pas fait pour toi.

Une douleur fulgurante traversa son corps.

— Tu es un hypocrite! hurla-t-elle à travers ses larmes, comment oses-tu me donner des leçons de morale? Je te déteste, tu m'entends? Je te déteste!

Mais il ne parut pas ébranlé par ses invectives. Il lâcha les pans de la couverture; elle s'en saisit, pivota sur elle-même et se rua vers la porte. Elle l'ouvrit violemment. Il tenta de la retenir.

— Gina, je t'en prie, ne...

Elle grimpa les marches sans se retourner. Le visage inondé de larmes, elle ne remarqua même pas la pluie diluvienne qui tombait sans relâche. Elle entendit Rémi sortir de la cabine derrière elle. Elle se mit à courir comme si elle fuyait le diable en personne.

Au beau milieu de sa course aveugle, elle s'aperçut

qu'il ne la suivait plus. Elle ne ralentit pas pour autant. Etourdie de douleur, elle ignorait le dur gravier qui blessait ses pieds nus, ni la couverture humide qui lui fouettait les chevilles.

A bout de souffle, elle continuait néanmoins à courir éperdument, tenaillée par la honte et l'humiliation : elle s'était comportée comme une idiote, et se le reprochait amèrement.

La lumière de sa maison brillait devant elle. Elle épuisa ses dernières forces pour atteindre la porte et s'effondra après l'avoir refermée. De longs sanglots soulevaient tout son corps.

— Gina! Que t'est-il arrivé, mon enfant?

La voix stupéfaite de son grand-père la fit sursauter.

Encorc haletante, elle essaya de distinguer à travers le rideau de larmes qui voilait ses yeux la frêle silhouette de son aïeul debout dans l'entrée. La couverture glissa de son épaule, découvrant son sein nu.

Elle la rajusta promptement, mais trop tard. Son humiliation fut portée à son comble au souvenir de la pile de vêtements entassés sur le plancher de la cabine.

— D'où viens-tu? Avec qui étais-tu? interrogea-t-il d'une voix glaciale.

Elle ouvrit la bouche, mais aucun son n'en sortit. Que devait-il penser d'elle? se demanda-t-elle à la vue du visage gris et livide de son grand-père.

— Tu étais avec ce Rémi, hein?

Gina fit oui de la tête. Elle baissa les yeux. Ses sanglots redoublèrent.

— J'ai... J'ai tellement honte!

Il s'approcha d'elle et lui tendit sa vieille main ridée. Mais Gina ne pouvait accepter sa tendresse, après avoir infligé au vieil homme une telle honte par son action irréfléchie.

Elle poussa un cri de désespoir et se précipita vers l'escalier. Elle grimpa les marches quatre à quatre et claqua la porte de sa chambre derrière elle. Elle s'écroula ensuite sur son lit. Elle entendit son grand-père monter l'escalier, mais soudain on frappa à la porte. Il redescendit ouvrir.

Les cloisons des pièces de la vieille maison étaient plutôt minces. Le cœur de la jeune fille s'arrêta de battre quand elle reconnut la voix de Rémi. Il l'avait donc suivie jusqu'ici!

— Gina est-elle rentrée?

— Oui. Vous êtes précisément l'homme que je voulais voir, répondit le vieillard sur un ton inquiétant.

— Je vous rapporte les vêtements et les chaussures de votre petite-fille. Je devine vos pensées, mais détrompez-vous, je vais tout vous expliquer.

Rémi s'adressait à lui respectueusement, mais ne semblait pas le moins du monde intimidé par la situation.

Il y eut un silence. Nate réfléchissait, pensa Gina. Puis il dit d'une voix traînante :

— Allons discuter de tout cela à la cuisine.

4

La cuisine se situait exactement sous la chambre de Gina, et elle ne perdit pas un mot de la conversation. Tremblante, elle se débarrassa de la couverture mouillée qui recouvrait ses épaules et se glissa sous son épais édredon.

Elle ferma les yeux pour tenter d'effacer de sa mémoire la scène pathétique; mais elle ne pouvait se boucher les oreilles. Elle se remit à pleurer à chaudes larmes, sans un bruit.

— Je prendrais bien whisky, et vous? offrit son grand-père.

Un silence. La pluie tambourinait sur le toit. Elle entendit le cliquetis des verres, puis la porte du placard où Nate gardait toujours une bouteille, « en cas d'urgence ».

— Elle s'est éprise de vous, je le savais. Peut-être aurais-je dû l'empêcher de vous voir, mais j'avais peur de rendre la tentation plus grande.

Il poussa un soupir las. La jeune fille en fut bouleversée. Puis il enchaîna brutalement :

— Elle n'a que seize ans, le saviez-vous?

— Elle m'a affirmé en avoir dix-sept, répondit doucement Rémi.

— Elle les aura au mois d'août. Mais vous l'avez crue?

— Elle en paraît vingt...

— Peut-être, mais elle est encore mineure aux yeux de la loi, fit remarquer Nate; alors vous feriez mieux de me raconter ce qui s'est passé ce soir, et de m'expliquer comment les vêtements de ma petite-fille se sont trouvés en votre possession alors qu'elle courait nue dans les rues...

Rémi relata les événements de la nuit de façon claire et concise. Il ne s'attarda pas sur la supplique passionnée de Gina. Celle-ci aurait voulu s'endormir pour ne jamais se réveiller.

Une longue pause suivit son explication. A nouveau le bruit de la bouteille sur la table...

La voix calme et coupante de Nate brisa le silence :

— Vous voulez me faire croire que tout est de sa faute? Ne l'avez-vous pas plutôt poussée à le faire, avant qu'elle ne prenne peur, au dernier moment, et s'enfuie?

— Je ne l'ai pas touchée, je vous le jure, affirma Rémi d'un ton convaincant, sans élever la voix.

Gina enfouit sa tête dans l'oreiller, submergée de honte. Son grand-père devait la mépriser! Il lui avait fait confiance, et elle l'avait trompé.

— Et, je suppose, vous n'avez jamais rien fait qui pût laisser deviner vos intentions?

Cette fois, Rémi hésita.

— Peut-être, oui, lâcha-t-il enfin.

— « Peut-être »?

— Bon, d'accord, oui, admit-il à contrecœur.

— Une fille ne se monte pas le bourrichon pour un homme qui l'a seulement embrassée une ou deux fois, déclara Nate.

— Je... J'ai pu m'être égaré.

Son intonation trahissait toute sa colère contre lui-même.

Cet aveu de responsabilité partagée n'adoucit pas pour autant l'humiliation de la jeune fille au souvenir de sa conduite. Elle s'enfonça un peu plus dans ses oreillers, pour essayer d'étouffer leurs voix.

D'un ton légèrement triomphant, le grand-père continua :

— Je suis heureux de l'entendre de votre bouche; maintenant, peut-être allons-nous pouvoir discuter sérieusement.

La bouteille de whisky fut débouchée une troisième fois. Gina s'enterra sous les draps et se remit à sangloter. Elle trouvait insupportable de les entendre parler d'elle comme s'il s'agissait d'une gamine. C'était le comble de l'humiliation, de la torture! Ses larmes ne parvenaient même plus à la soulager, et coulaient inépuisablement.

Le temps lui semblait passer si lentement! Les secondes étaient des minutes; les minutes, des heures. Gina pleurait pour l'éternité. A plusieurs reprises, elle entendit dans la cuisine des éclats de voix coléreuses et son tourment ne fit qu'augmenter.

— Mais enfin, vous me demandez l'impossible! protesta Rémi avec véhémence.

Puis, la réponse de son grand-père, assourdie, inaudible.

Gina n'avait aucun désir de connaître exactement la nature de leur discussion. Elle savait en être l'enjeu. Elle ne voulait pas en savoir plus long. Quand elle n'eut plus de larmes pour pleurer, soulevée de hoquets, épuisée par l'émotion, elle s'endormit.

Elle fut réveillée par un bruit à sa porte. Elle se retourna dans son lit, incapable de sortir de sa torpeur. Elle souleva avec peine ses paupières de plomb. Immédiatement, elle prit conscience de sa nudité sous les couvertures. Elle se remémora les événements de la veille et poussa un gémissement de souffrance.

On frappa de nouveau à sa porte. Elle ouvrit la bouche pour renvoyer le visiteur inopportun, mais aucun son n'en sortit. Elle aurait voulu se verrouiller dans sa chambre, et ne plus jamais voir personne.

La porte en bois s'ouvrit sans sa permission, et le visage ouvert et souriant de son grand-père apparut dans l'encadrement. Il entra avec un plateau. Gina lui tourna le dos, les couvertures remontées jusqu'aux oreilles, et ne bougea pas quand il s'assit au pied de son lit.

— Assieds-toi, Gina, je t'apporte le petit déjeuner au lit.

Il se forçait à prendre un ton enjoué.

Elle demeurait immobile, honteuse de sa nudité. Pourquoi n'avait-elle pas mis une chemise de nuit la veille? se demanda-t-elle amèrement. Cela lui aurait évité de se trouver dans une situation aussi embarrassante.

— Je n'ai pas faim, marmonna-t-elle sans le regarder.

— Il y a du chocolat chaud, du pain grillé et de la confiture.

Il faisait appel à sa gourmandise, comme avec une enfant.

— Non, je t'en prie, je ne veux rien.

Son grand-père déposa le plateau sur sa table de chevet et se pencha sur le corps pelotonné de sa petite-fille. Il s'assit au bord du lit et lui caressa doucement les cheveux.

— Je comprends ce que tu ressens, Gina.

Il essayait de la réconforter à sa manière.

Elle ferma les paupières de toutes ses forces.

— Je veux mourir, murmura-t-elle.

— Tu exagères un peu, tu ne crois pas? lui dit-il en souriant.

— Ça m'est égal.
— Tu ne le penses pas vraiment, insista-t-il gentiment, tout va rentrer dans l'ordre, tu verras.
— Mais comment est-ce possible? Tu dois avoir tellement honte de moi!
Nate posa sa main sur ses cheveux avant de demander :
— Tu es allée le retrouver hier soir parce que tu es amoureuse de lui, n'est-ce pas?
— Oui...
Elle l'était, en effet, du moins le croyait-elle. Maintenant elle le haïssait et se détestait elle-même.
— Tu ne dois pas avoir honte d'une action motivée par l'amour, mon enfant. Je ne te condamne pas, et je te comprends.
— Non, tu ne comprends pas. Plus jamais je ne pourrai supporter le regard des autres.
Elle s'écarta brusquement de lui.
— Tu changeras vite d'avis. Après ton mariage avec Rémi...
— Mon mariage?
Stupéfaite, Gina le considéra avec des yeux ronds, effarée.
— Mais je ne vais pas épouser Rémi, protesta-t-elle.
— Si, nous avons tout arrangé la nuit dernière. Le mariage se déroulera dans l'intimité, sans cérémonie. Nous manquons de temps, je le crains, pour préparer quelque chose de grandiose.
— Mais je refuse de l'épouser!
Son visage était redevenu livide.
— C'est la seule solution, expliqua-t-il doucement.
Gina, terrorisée par cette perspective, se tourna vers le mur en criant :
— Non! Il ne veut pas de moi!
— Il est d'accord pour t'épouser, lui rappela-t-il.
— Eh bien pas moi!

— Gina, il le faut.
Sa voix était devenue douloureuse.
— Mais pourquoi? Pourquoi?
Elle lui jeta un regard furieux, mais ses yeux emplis de tristesse l'amadouèrent.
— Tout le monde t'a vue revenir du port en courant, hier soir, dit-il avec un triste soupir.
Ses joues prirent une teinte cramoisie, son menton se mit à trembler :
— On... On m'a vue?
Nate Gaynes hocha la tête à regret.
— Certains amis « qui me veulent du bien » m'ont rendu visite ce matin, pour me prévenir, au cas où je n'aurais pas été au courant.
— Oh, non! gémit-elle, mais il ne s'est rien passé entre nous...
— Personne ne le croira, d'ailleurs ils ne veulent pas le croire. Les mauvaises langues ne te laisseront pas en paix, ma petite!
Elle était déshonorée. Les garçons respectables ne la regarderaient plus. La nouvelle allaient se répandre dans tout le village. Tout le monde serait au courant, si ce n'était déjà fait. On allait suivre le moindre de ses gestes, censurer la moindre de ses actions. La seule façon d'effacer cette tache sur sa réputation était d'épouser son prétendu « compagnon de débauche ».
Quelle injustice! pensait-elle avec amertume. Mais dans les petits villages, les gens se délectaient à mettre leur nez dans les affaires des autres. De plus, son grand-père allait devoir supporter les conséquences de sa conduite.
Mais il existait bien une autre solution... Epouser Rémi! Elle le haïssait. Il l'avait humiliée au plus profond d'elle-même, il était impensable, maintenant, de s'unir à lui. Mais quelle était l'alternative?
— Nous pourrions peut-être déménager?

— Déménager!

Son grand-père était médusé devant cette suggestion saugrenue.

— Non, c'est impossible, je présume, reconnut la jeune fille.

Nate ne pouvait plus quitter sa maison où il avait vécu heureux avec sa femme bien-aimée et leurs enfants; il ne pouvait pas non plus abandonner tous ses amis, ni son métier, ses casiers à homards, ses promenades habituelles... C'était injuste de tant lui demander. Elle fixa les yeux au plafond.

— Je ne l'épouserai pas, réitéra-t-elle avec conviction.

Il finit par s'impatienter.

— Tout est arrangé. Il faut agir vite, avant que les mauvaises langues ne se délient.

— Mais je ne suis même pas enceinte, je suis encore intacte!

Il haussa un sourcil sceptique : qui allait croire cette histoire? Elle se mordit les lèvres avec rage pour s'empêcher de pleurer de dépit. Elle était prise au piège.

Finalement, Gina obéit à son grand-père. Elle ne vit pas Rémi avant la cérémonie du mariage. Peu lui importait, du moins, elle essayait de s'en convaincre. Elle refusait obstinément de le voir, prétendait-elle. En réalité, elle soupçonnait son aïeul d'éloigner Rémi à dessein.

Rémi affecta un air affable devant le pasteur, aux côtés de Gina. Il parla d'une voix claire, sans émotion. Rien dans son regard n'avait trahi ses sentiments réels sur le mariage; cependant, il avait à peine regardé sa jeune épouse. Quand ils furent déclarés mari et femme, il se contenta de lui effleurer froidement les lèvres.

Il était sagement resté à ses côtés lors des félicitations exprimées par la petite poignée d'invités présents. Mais il évitait soigneusement de la toucher; Gina le remarqua avec une irritation croissante. Pourtant, Rémi était heureux de l'épouser, lui avait affirmé son grand-père! Voilà une étrange façon de montrer sa joie, pensa la jeune fille.

Ils quittèrent l'église sous une pluie de grains de riz. Rémi avait brossé son habit avant de s'asseoir au volant de sa voiture. Gina enleva un grain égaré dans ses cheveux, et le roula nerveusement entre ses doigts.

L'atmosphère était pesante et tendue. Après vingt minutes de silence, Gina, à bout de nerfs, jeta le grain de riz par terre.

— C'est ridicule! s'écria-t-elle.

Il lui jeta un rapide coup d'œil, sans abandonner son air distant.

— Qu'est-ce qui est ridicule?

— Tout cela, jeta-t-elle avec une amertume contenue; pourquoi allons-nous à l'hôtel?

— C'est notre nuit de noces, l'aurais-tu oublié?

Son ton poli était empreint de sarcasme.

— Difficile de l'oublier. Nous aurions pu aussi bien aller sur ton bateau, au lieu de...

— Il nous fallait une lune de miel décente, ton grand-père a bien insisté là-dessus.

— Moi, ça m'est égal, répliqua-t-elle, avec une mimique cynique.

— Moi aussi.

— Alors pourquoi continuer? lui demanda-t-elle d'une voix coupante.

Son profil se détachait sur le soleil couchant; ses traits ciselés étaient durs et intransigeants. Cet être indomptable était son mari! Cette pensée le glaça.

— Ton grand-père est maître dans l'art d'obtenir ce qu'il veut.

Sa voix était posée, mais les muscles de sa mâchoire se crispèrent imperceptiblement à ces mots.

— Tu as presque l'air d'avoir peur de lui, lança Gina pour le provoquer.

Il lui jeta un regard bleu et froid, puis reporta son attention sur la route. Une lueur sombre et inquiétante avait lui dans ses yeux.

— Il est rusé, répondit-il vaguement.

La jeune fille cilla sous l'insulte contenue dans cette remarque.

— Pourquoi dis-tu cela?

Elle l'étudiait attentivement.

Les plis autour de sa bouche se creusèrent.

— Il a arrangé le mariage, n'est-ce pas? fit-il.

Gina repensa immédiatement à son propre refus.

— Oui, il voulait sauver ma réputation. Cette idée lui importait beaucoup plus qu'à moi. C'est l'unique raison pour laquelle je t'ai épousé : pour sauver la face aux yeux des amis de mon grand-père.

Rémi conclut ironiquement :

— Je t'ai épousée pour la même raison : pour sauver ma réputation.

Elle éclata d'un petit rire bref et amer.

— Tu plaisantes! Un homme peut agir à sa guise, impunément. Personne n'y trouvera à redire. Mais une femme se voit marquée au fer rouge de la honte, si elle agit de même. C'est trop injuste!

— Rien n'est juste, en ce bas-monde. Tu t'en apercevras en vieillissant.

— J'en ai assez d'être traitée comme une gamine! Je suis ta femme, après tout.

— Je ne suis pas prêt de l'oublier, « Madame Owens »!

Une expression cruelle se peignit sur son visage.

Gina prit peur. Elle ignorait tout de cet homme assis à ses côtés. Avait-il une famille? Quel était son métier? Elle n'en savait rien. Tremblante, elle se cala sur son siège et regarda droit devant elle.

— Tes... tes parents sont-ils au courant?

— Pas encore.

Le néon d'une enseigne d'hôtel brillait au bord de la route. Rémi ralentit pour s'engager dans l'allée. Il ouvrit la portière. La nuit était douce, pourtant Gina frissonna.

Il la prit sans ménagement par la main pour l'emmener vers le hall de réception.

Elle ignora le clin d'œil entendu du réceptionniste et promena son regard sur les meubles luxueux du salon. Elle entendit vaguement Rémi parler de réservation. Elle fut prise de nausée en le voyant inscrire sur le registre : « Monsieur et Madame Rhyder Owens. »

— Désirez-vous la suite « Lune de miel », monsieur?

Toujours cet air complice... Gina ne put s'empêcher de rougir.

Rémi la considéra d'un air moqueur, mais sans indulgence.

— Absolument, répondit-il avec une intonation cruelle.

Le groom les conduisit à leur appartement et porta leurs maigres bagages. La médisance et les sous-entendus des étrangers s'avéraient extrêmement pénibles pour la jeune fille. L'expression grivoise du groom recevant son pourboire faillit la rendre malade.

Le lit, recouvert d'un édredon pourpre, écrasait la pièce. D'un pas raide, Gina se dirigea vers la fenêtre, faisant mine de ne pas le voir. Elle avait le front moite, et se sentait livide. Rémi l'observait. Son regard lui fit froid dans le dos.

— As-tu mangé, aujourd'hui?

Il avait pris un ton paternel. La jeune fille en fut exaspérée.

— Pas beaucoup. L'appréhension de la jeune épouse, je suppose, ajouta-t-elle caustiquement.

— Veux-tu aller au restaurant, ou préfères-tu faire

monter le dîner dans la chambre? demanda-t-il d'un ton poli et indifférent.

Elle faillit choisir le restaurant; mais elle pensa aux regards ironiques du personnel de l'hôtel et y renonça.

— Dans la chambre, déclara-t-elle sèchement, et commande du champagne, j'ai envie de m'enivrer.

— Ne prends pas tes airs sophistiqués, Gina, ça ne te va pas.

Pleine de colère, elle se retourna brusquement vers lui et plongea un regard furieux dans ses yeux bleus d'acier. Elle relevait fièrement sa tête brune en signe de défi.

— As-tu honte de moi?

Malgré sa rage, elle se sentit intimidée par la virilité brutale qui émanait de lui. Il se tenait à quelques mètres d'elle, dans son costume sombre, un méchant rictus aux lèvres.

— Pourquoi cette question?

Cette réplique inattendue la décontenança : il avait parlé d'une voix suave; elle attendait sa colère, ou son sarcasme.

— Parce que tu n'as pas parlé de moi à tes parents.

Elle retint son souffle. Elle voulait le provoquer mais elle craignait sa réaction.

— Je les avertirai en temps utile. Nous sommes mariés, et c'est tout ce que tu voulais, après tout.

— C'est faux!

— Tu as raison, convint ironiquement Rémi, tu voulais seulement vivre une expérience sexuelle. Mais dommage, tu n'y as pas pensé en t'enfuyant du bateau; maintenant, tu payes les conséquences de ton acte irréfléchi, et nous sommes tous les deux dans de beaux draps!

Des larmes perlèrent au coin de ses paupières. Elle regarda au dehors pour qu'il ne les vît pas. Elle était seule responsable de la situation, et il le lui rappelait durement. La moquette écarlate étouffait le bruit des pas, mais elle le sentit venir vers elle et se raidit.

— Voici le menu, choisis ce qui te fait plaisir.

Il lui mit un papier sous le nez, froid et indifférent.

Gina lui tournait résolument le dos.

— Ça m'est égal. Commande ce que tu veux.

— Très bien.

Sa patience avait des limites, et elle commençait à en abuser. Il s'éloigna, tendu.

— Je vais passer la commande par téléphone. Prépare-toi, pendant ce temps.

Exaspérée par ce ton faussement bienveillant, elle fit volte-face. Ses yeux d'émeraude, rendus brillants par les larmes, jetaient des éclairs.

— Envoie-moi aussi me laver les mains comme une bonne petite fille bien sage!

— Assez, Gina, tu dépasses les bornes!

Cet avertissement plein de menaces la cingla comme un fouet.

Sans prendre garde, elle vociféra :

— Tu me crois devenue hystérique, et tu as peur?

— Je n'en serais pas étonné. Tu t'es servie de tous les moyens, sauf de celui-là.

Il s'efforçait de parler calmement.

— Moi? C'est trop drôle! s'exclama-t-elle avec dédain.

— Gina, je refuse de discuter maintenant avec toi.

— Ah, très bien! Mais j'ai le droit d'être en colère, figure-toi. Après tout, c'est toi qui nous a mis dans ce pétrin.

— Ta petite excursion nocturne dans les rues de la ville n'y est pour rien, j'imagine.

Ses narines se dilatèrent et il lui jeta un regard meurtrier par-dessus son épaule.

— C'est toi qui, avec ton esprit chevaleresque, a insisté pour m'épouser, lança-t-elle.

Une expression sinistre passa sur les traits de Rémi. Gina s'empressa d'enchaîner :

— Tu tenais à m'épouser, mon grand-père me l'a dit.

— Ah bon? répliqua-t-il d'un air moqueur et arrogant.

Poussée par son orgueil, Gina parvint à garder la tête haute.

— Tu voulais m'épouser? interrogea-t-elle à voix basse.

— Non.

Aucune trace d'émotion ne perçait dans sa réponse.

— Mais peu importe, puisque tu es devenue ma femme. Je vais commander notre dîner.

Un frisson glacial parcourut la jeune fille. Elle croisa les bras pour se réchauffer, mais rien n'y fit. Ses genoux se mirent à trembler. Elle se sentait faible et terriblement vulnérable.

Comme un automate, elle se dirigea vers la salle de bain : elle aurait mieux fait de s'y rendre quand Rémi le lui avait suggéré, au lieu de réagir comme une enfant. Elle venait d'apprendre une chose qu'elle eût préféré ignorer : ils s'étaient tous deux mariés contre leur gré, quelle union pouvait en résulter?

Cette question l'obséda jusqu'à son retour dans la chambre. Elle avait les nerfs à fleur de peau. Le silence de son compagnon aggrava son malaise. Elle sursauta lorsque l'on frappa à la porte : c'était le dîner. Rémi n'avait rien demandé pour lui, et Gina dut, seule, avaler ce triste repas insipide.

Il avait retiré sa veste et sa cravate, retroussé les manches de sa chemise, et défait ses trois boutons du haut. Il reposait dans un fauteuil, l'air indolent, un cognac à la main. Son visage dur et hâlé affectait une expression distante, très étudiée.

Gina n'avait pas fini son assiette. Dans un mouvement d'humeur, elle jeta ses couverts sur le plateau et le repoussa. Elle se leva très agitée, l'estomac noué, croisant et décroisant les mains. Elle désirait attirer son attention. Elle y parvint.

— Tu as terminé? demanda-t-il d'un ton neutre.

— Oui, répliqua-t-elle avec insolence.

— Ne t'inquiètes pas, je ne vais pas te demander de saucer ton assiette.

Il avala d'un trait son verre de cognac.

— Tant mieux, car je ne l'aurais pas fait, rétorqua-t-elle.

— Je croyais que ce petit dîner améliorerait ton humeur, mais je me trompais.

Il se leva et ouvrit le bar pour remplir son verre.

— Alors, que vas-tu faire? Noyer ton chagrin dans l'alcool?

Leurs regards étincelants se croisèrent. Il baissa les yeux pour se servir une longue rasade de cognac.

— Tu avais raison tout à l'heure, le moment est bien choisi de s'enivrer, commenta-t-il d'un air sardonique.

Il s'approcha d'elle nonchalamment. Le cœur de la jeune fille se mit à battre follement. Sa chemise blanche déboutonnée laissait entrevoir son torse musclé; sans sa cravate et sa veste, attirail de l'homme civilisé, il redevenait celui dont elle s'était éprise, viril et fort, imprégné d'air marin. Elle sentit un déchirement de douleur dans sa poitrine.

— Et bien je vais boire avec toi, déclara-t-elle d'une voix sourde.

Elle passa près de lui pour aller vers le bar, mais il lui barra le passage et lui saisit le bras. Il la serrait très fort. Elle se rebiffa.

— Ne me touche pas!

— Ne pas te toucher? répéta-t-il avec mépris, ce fut là l'origine de tous nos ennuis : tu m'as supplié de le faire, et j'ai eu le malheur de refuser!

Une vague de honte envahit la jeune fille et la fit

rougir. Elle essaya vainement de se dégager de la ferme étreinte de Rémi mais il ne lâcha pas prise, et ses doigts s'enfoncèrent plus profondément dans sa tendre chair. Elle lui griffa naïvement la main.

— Lâche-moi!

Elle n'avait pas la force de se faire obéir, et invoquait désespérément sa clémence.

Il éclata d'un rire diabolique.

— Avant, tu me demandais le contraire, se moqua-t-il.

Gina essaya de le gifler, manqua son coup et envoya valser son verre de cognac sur le tapis. Il tomba sans se briser sur le sol moelleux et dessina une large auréole.

De sa main libre, il emprisonna l'autre bras de la jeune fille et l'attira brutalement contre lui. Une lueur de cruauté se lisait dans ses yeux; elle prit peur et se débattit de toutes ses forces.

— Laisse-moi! Je te hais! hurla-t-elle.

Il l'encercla dans l'étau de ses bras puissants et lui saisit le menton, l'obligeant à le regarder.

— Mais voyons, nous sommes mariés maintenant, mon amour. Tout devient parfaitement légal. J'ai même le droit d'exercer mon devoir conjugal.

Il regarda avec une satisfaction non dissimulée ses yeux agrandis par la peur. Soudain il se pencha sur ses lèvres tremblantes et l'embrassa sauvagement. Elle en eut le souffle coupé, ses forces la trahirent et elle s'abandonna dans ses bras. Elle cédait, mais cela ne suffit pas à assouvir sa soif de revanche: il dévora violemment sa bouche pulpeuse.

Elle répondit timidement à ce baiser ravageur, mais cela ne satisfit pas Rémi. Il adoucit son étreinte seulement lorsqu'elle glissa la main dans l'échancrure de sa chemise. Il consentit alors à l'embrasser amoureusement. Elle était incapable de résister à l'attraction virile qu'il exerçait sur elle, et se laissait aisément séduire par ses caresses.

Son désir s'enflamma quand il explora sa gorge. Elle déboutonna maladroitement sa chemise pour mieux caresser sa peau douce et cuivrée.

Elle poussa un cri de plaisir quand il fit glisser la fermeture-éclair de sa robe. Celle-ci tomba à ses pieds. Rémi souleva la jeune fille dans ses bras. Elle lui jeta un regard fiévreux.

Sans un mot, il l'emmena vers le lit et l'étendit sur l'édredon de satin rouge. Agenouillé au-dessus d'elle, il la dominait totalement.

Les paupières de Gina frémirent d'impatience. Il retira sa chemise et se pencha sur elle.

5

Le lendemain matin, un son de voix étouffées réveilla Gina. Son oreiller était tout mouillé : elle se rappela avoir pleuré pendant la nuit.

Rémi avait essayé de la consoler, mais il avait voulu pour cela employer les tactiques de la veille, qui avaient causé le désarroi de la jeune fille. Elle avait repoussé son étreinte. Il était parti, furieux, et l'avait laissée seule avec ses larmes.

Elle souleva lentement la tête et regarda autour d'elle par-dessus son épaule. La place à ses côtés était vide, et elle en éprouva un vif soulagement. Elle fouilla prudemment la pièce des yeux, mais n'y vit aucune trace de la présence de Rémi.

Soudain elle entendit sa voix venant du dehors : leur chambre ouvrait sur une terrasse. Elle prêta l'oreille pour deviner l'identité de son interlocuteur; une voix familière lui parvint.

— Mon Dieu, tu l'as vraiment épousée? Mais c'est incroyable! Quand on m'a raconté cette histoire au port, j'ai cru que l'on se moquait de moi. Mais non, c'était vrai?!!!

Elle reconnut la voix de Peter.

— Je n'avais pas le choix, répondit Rémi d'un ton irrité.

Gina se crispa, les muscles tendus à l'extrême, et sortit du lit. Ses habits se trouvaient éparpillés sur le sol. Cette vision la dégoûta : elle voulait tout oublier des événements de la veille. Elle s'empressa d'ouvrir sa valise.

— Mais comment est-ce arrivé?

C'était encore la voix stupéfaite de Peter. La jeune femme enfila un pantalon et un chemisier à la hâte.

Elle finissait de s'habiller quand elle entendit la réponse de Rémi :

— C'est ce qui s'appelle communément un chantage.

Peter en eut le souffle coupé :

— Un chantage? Mais que diable s'est-il donc passé pendant mon absence?

Gina avait d'abord voulu se boucher les oreilles au son de la voix détestée; mais maintenant, elle brûlait d'entendre sa version des faits. Elle n'eut pas long à attendre :

— Un soir, elle est venue sur le bateau. Il pleuvait et elle était trempée jusqu'à la mœlle. Je suis allé chercher une couverture pour la réchauffer. Quand je suis revenu, la maudite nymphette s'était entièrement déshabillée et me suppliait de lui faire l'amour!

— Oh, mon Dieu! s'exclama Peter, et as-tu...

— Je lui ai dit de rentrer chez elle et de grandir un peu, trancha Rémi; alors elle est sortie du bateau en pleurs,comme une furie, à moitié nue, et s'est enfuie dans les rues. Le village entier a dû la voir quitter la Sorcière des Mers.

Gina se sentit mortifiée. Pourtant, il décrivait la vérité; mais cela l'humiliait au dernier degré. De plus, elle le haïssait d'avoir raconté à Peter sa conduite éhontée. C'était trop dégradant.

— Alors qu'as-tu fait? voulut savoir Peter, une note d'incrédulité dans la voix.

— J'ai décidé de m'expliquer, sans attendre le scandale, et je me suis rendu, sur-le-champ, chez son grand-père.

— Et il ne t'a pas cru?

— Si, je crois. Mais pour lui, la réputation de sa petite-fille était ternie à jamais aux yeux de tous les habitants du village. Pendant des heures, il m'a assené cette évidence, tout en m'abreuvant de whisky.

Il éclata d'un rire sinistre et résigné.

— Il a essayé de te saoûler?

Peter était abasourdi.

Gina pâlit au souvenir du son de la bouteille reposée sur la table : trois fois elle l'avait entendu avant d'enfouir la tête sous son oreiller. Son grand-père avait agi là de façon peu honorable, en dépit de la validité de ses motifs.

— Il est presque arrivé à scs fins. Je croyais d'abord qu'il voulait tester ma virilité. Mais j'ai compris à temps son intention : m'empêcher d'avoir les idées claires. De toute façon, il a malgré tout atteint son but.

— Mais si tu n'as rien fait, comment a-t-il pu te faire chanter et t'obliger à l'épouser? Gina est certes une gentille fille, mais que vas-tu faire maintenant avec, en guise de femme, une enfant sur les bras? Vraiment, je ne comprends pas, Rémi : céder à un chantage sous la pression des potins d'un petit village, c'est impensable!

Peter semblait nager dans la confusion.

Son compagnon répondit cyniquement, la voix pleine de rancune :

— Mais quelle pression! Voici le choix qui m'était offert : épouser Gina, ou répondre en justice aux accusations de tentative de viol d'une mineure.

— Mais c'est incroyable!

Gina faillit s'évanouir. Hier, dans la voiture, Rémi lui avait confié l'avoir épousée pour sauver sa réputation. Elle avait cru à une plaisanterie. Mais il était on ne peut plus sérieux.

— Ivre ou non, je n'avais pas le choix, poursuivit Rémi. Les journaux se seraient régalés de cette histoire croustillante, et le scandale aurait rejailli sur mon père : une enquête est justement en cours pour déterminer la légalité de certaines actions politiques qu'il a menées tout en dirigeant son entreprise. Même si j'avais gagné mon procès en justice, les répercussions de l'affaire auraient néanmoins été néfastes pour lui.

— Tu as raison, j'en ai peur, admit Peter.

— J'étais acculé par le grand-père de Gina, et il a profité de la situation.

Il avait prononcé ces paroles avec une colère difficilement contenue.

— Gina est-elle au courant? Elle doit bien se douter de quelque chose. A moins qu'elle ait elle-même pris part à la machination?

— Tu me demandes en fait s'ils étaient complices pour dénicher un beau parti et bien marier la fillette?

Sans voir Rémi, Gina n'eut aucun mal à imaginer le rictus moqueur de sa bouche.

— Je n'en sais rien. Gina semble n'avoir pas eu vent des menaces de son grand-père à mon égard. Mais elle prétendait aussi ne pas vouloir être ma femme!

— Elle prétendait? Que veux-tu dire?

Mais Peter saisit aussitôt l'ironie du commentaire.

Fermant les yeux, la jeune fille se souvint avec quelle facilité elle s'était abandonnée à ses baisers ravageurs. Elle regretta d'autant plus amèrement de s'être soumise à lui. Il l'avait séduite uniquement dans le but de la rabaisser. Elle se jura de lui faire payer cet abus de son innocence.

— Rien, répondit-il enfin à la question de Peter, ce n'est pas important.

Ce n'était pas important! La haine de Gina redoubla.

— Que comptes-tu faire maintenant? demanda Peter. Tu vas devoir la présenter à tes parents, je suppose;

j'imagine mal la rencontre avec certaines amies de ta sœur! Elles vont s'acharner sur elle! Sans parler des griffes de toutes celles qui avaient secrètement des visées sur toi... As-tu l'intention de dire la vérité à ta famille, à propos du chantage?

— Oui, déclara-t-il sèchement, si je leur disais être tombé amoureux d'une gamine, ils ne me croiraient jamais. Essayer de les en convaincre serait faire un affront à leur intelligence.

— Ta sœur va se délecter à colporter ces ragots. Au bout d'un mois, Clarisse aura répandu la nouvelle dans tout le pays! La situation deviendra vite difficile pour vous deux... Toi, encore, tu es solide, tu pourras y faire face, mais elle...

— Peut-être le mérite-t-elle, après tout, trancha-t-il impatiemment.

Gina se sentait de plus en plus fébrile.

— Voyons, Rémi, elle est si jeune encore!

— Elle trouvera sans doute la vie à deux insupportable, et je pourrai racheter ma liberté avec une simple procédure de divorce. En attendant, je dois surtout veiller à ne pas la mettre enceinte, sous peine de me voir enchaîné à elle pour le restant de mes jours.

— Mais un divorce coûte cher, murmura Peter d'un air absent.

— J'aurais volontiers accepté de payer pour ne pas l'épouser, mais ce vieillard rusé ne voulait pas rater l'occasion de sa vie. Il insistait sans relâche sur son déshonneur! Je suis prêt à signer un chèque, du montant qu'elle choisira, pour me débarrasser d'elle...

Gina flancha sous ces paroles cruelles. Mue par une rage froide, elle se dirigea vers la porte vitrée qui donnait sur la terrasse et l'ouvrit. Le bruit fit immédiatement se retourner les deux hommes.

— Combien? demanda-t-elle sans ambages.

Gêné, Peter rougit jusqu'aux oreilles. Mais le teint

cuivré de Rémi ne trahit aucun signe d'émotion devant l'irruption de la jeune femme. Il ne parut pas non plus s'étonner de sa question.

De son regard sans merci, il l'inspecta rapidement de la tête aux pieds. La pâleur d'albâtre de son teint offrait un vif contraste avec sa chevelure d'ébène. Dans ses yeux tumultueux semblait faire rage une tempête dévastatrice.

— Tu viens d'avouer être prêt à payer pour te débarrasser de moi. Combien?

Gina avait réitéré sa question d'un ton tranchant.

— Combien veux-tu? rétorqua-t-il froidement.

Gina cita la première somme importante qui lui vint à l'esprit. Un tressaillement imperceptible parcourut le visage de Rémi : il s'attendait à plus, mais elle avait répondu naïvement, sans réfléchir.

— Tu me vois fort surpris, Gina. J'avais cru comprendre que tu attachais un prix plus élevé à ta chère réputation.

Accoudé au balcon de fer forgé de la terrasse, il la détaillait avec insolence.

Il portait un pantalon bleu marine. Son torse nu resplendissait sous le soleil matinal. Gina trouva presque choquant cet étalage de sa virilité, et se rappela douloureusement leur intimité de la veille.

— Ma réputation est intacte, jeta-t-elle. Mon mariage a apaisé les esprits. Voilà pourquoi je consens à te faire un prix.

— Mais un divorce, si tôt? se moqua-t-il, cela ne va-t-il pas faire jaser?

— Oh, je laisserai les mauvaises langues aller bon train, puis elles se calmeront, répliqua Gina d'un air hautain; on me dira sûrement que je méritais mon sort pour avoir épousé un étranger... Mais quand je leur raconterai quel ignoble individu tu es, ils m'approuveront sans aucun doute. Ils n'en seront guère étonnés, étant donnés tes faits et gestes antérieurs.

Un pli cynique se peignit sur les lèvres de Rémi.

— Bravo! Toi et ton grand-père avez bien monté votre coup!

— Nous avons tâché de n'omettre aucun détail, mentit-elle.

Il était désormais inutile de vouloir lui démontrer qu'il n'avait pas été victime d'un noir complot. Il ne l'aurait pas cru. De toute manière, peu lui importait maintenant l'opinion qu'il pouvait avoir d'elle ou de son aïeul. Ils étaient tombés d'accord sur un point : mettre fin au mariage le plus rapidement possible.

D'une voix méprisante, Rémi lui lança :

— Tu auras ton argent dès la signature du divorce.

— Si je peux me permettre, une annulation serait moins compliquée, intervint Peter avec hésitation.

— Oui, c'est juste, et sans doute plus rapide, approuva Rémi.

— Affaire conclue, déclara la jeune fille.

Pour venir à bout des objections de son grand-père, Gina dut le menacer de s'enfuir. Il finit par accepter, et l'annulation du mariage fut obtenue. Il n'avait pas été facile pour elle de reprendre sa vie au sein du petit village.

Les adultes lui pardonnèrent aisément l'échec de son mariage mouvementé; mais les garçons de son âge la regardaient désormais avec d'autres yeux. Derrière son visage innocent et tourmenté, ils entrevoyaient la maturité conférée par l'expérience.

L'argent offert par Rémi avait offensé Nate Gaynes. Il l'avait déposé à la banque, refusant énergiquement d'y toucher. Gina aussi l'avait considéré comme souillé. Les relevés bancaires leur parvenaient régulièrement.

Dès qu'elle voyait cette enveloppe dans le courrier,

Gina manquait de défaillir. Elle aurait souhaité mourir. A la vue de ce cruel souvenir, son grand-père se taisait. Il se sentait probablement coupable d'avoir organisé ce mariage raté et éphémère, devina la jeune fille; mais il ignorait alors quel genre d'homme était Rémi : elle essaya de le lui faire comprendre par des moyens détournés, afin d'apaiser ses remords.

Après l'annulation, il était devenu pensif et morose. Un an après, il mourut dans son sommeil. Gina, dans son chagrin, avait accusé Rémi de sa mort. Elle avait dépensé avec joie l'argent qu'il lui avait donné.

C'était un dédommagement pour le décès de son aïeul, s'était-elle dit pour se rassurer. Elle avait vendu la vieille maison familiale. Les souvenirs d'enfance heureuse qui s'y rattachaient avaient été ternis par cette année d'épreuves.

Neuf ans s'étaient écoulés. Au lendemain de son vingt-sixième anniversaire, la jeune femme exerçait un métier passionnant et avait tout l'avenir devant elle. Alors pourquoi, gémit-elle en silence, pourquoi ce fantôme indésirable du passé revenait-il hanter sa vie? Toutes les violentes émotions qu'elle avait crues enterrées, remontaient à la surface.

Elle avait l'impression de suffoquer. Elle se dirigea vers l'évier de la cuisine, tourna le robinet d'eau froide et se rafraîchit les bras. Soudain la porte d'entrée de la maison s'ouvrit. Elle se raidit et attendit, retenant sa respiration.

— Gina! Que fais-tu donc? La soirée se déroule dehors, tu sais!

C'était Justin Trent.

Elle ferma le robinet et entreprit de s'essuyer consciencieusement les mains, pour avoir une contenance.

— Il y avait un peu trop de monde pour moi, dehors, alors je suis venue ici prendre un peu l'air.

— Tu choisis un moment bien étrange pour te retirer, fit-il observer.

Il vint à ses côtés, lui enleva la serviette, la jeta sur la table et prit ses deux mains dans les siennes.

— Je voulais te montrer à tous mes amis, et tu te caches dans la maison!

— Je ne me cachais pas, protesta-t-elle.

Elle arbora un sourire forcé, mais fut incapable de croiser le chaud regard de ses yeux bruns.

Il porta la main de la jeune femme à ses lèvres, et effleura le bout de ses doigts d'un baiser furtif. Elle avait les yeux baissés, mais vit le petit sourire en coin de sa bouche sensuelle au moment où il embrassait sa main.

— Pourquoi portes-tu cette bague? Elle me donne toujours l'impression de flirter avec la femme de quelqu'un d'autre.

Elle ne put réprimer un frisson glacial. Elle retira prestement sa main de la sienne et se détourna, l'air coupable, cachant son anneau d'or.

— Je t'ai expliqué... c'est l'alliance de ma grand-mère.

Son grand-père avait sentimentalement tenu à lui offrir un « objet ancien » en cadeau de mariage, accompagné de tous ses vœux de bonheur pour une union longue et heureuse.

— Tu me surprendras toujours, ma chérie. Parfois tu joues les femmes à la tête froide, libérées; et tout à coup tu incarnes l'image même de la féminité, délicieusement démodée.

D'un doigt léger, il lui caressa la joue.

— Quand je t'ai rencontrée la première fois, j'ai pensé que cette bague te servait à éloigner les hommes.

Gina sourit :

— Elle peut servir à cela, également.

Ce contact, si doux fût-il, la mettait mal à l'aise. Il

était mal venu, après le souvenir vivace des mains d'un autre. Mais elle ne pouvait s'y soustraire. Justin ne comprendrait pas son refus : au cours des derniers mois, elle lui avait maintes fois accordé de petites libertés. Et elle ne voulait ni s'expliquer ni lui mentir.

Justin lui prit délicatement le menton et l'obligea à le regarder.

— Ça marche... sauf lorsque tu veux bien laisser un homme s'approcher, n'est-ce pas?

Elle vit son visage s'avancer et ferma les yeux. Sous ses lèvres chaudes et ardentes, elle demeura de glace et se raidit légèrement. Elle essaya en vain de se laisser aller à ce baiser. Justin se redressa.

Elle frissonna de regret : regret d'avoir eu la malchance de rencontrer Rémi, et de le voir soudain réapparaître au bout de neuf ans.

Il approcha la bouche de son oreille, son souffle chaud frôla ses courtes boucles brunes, et il murmura :

— J'eusse aimé continuer dans cette agréable voie, mais je suis le maître de céans et me dois à mes invités.

Gina, trop heureuse d'abréger cette étreinte à laquelle elle répondait de façon si peu naturelle, s'empressa d'accepter :

— Oui, allons-y!

— Tu as l'air bien pressée, constata-t-il avec amusement.

Il lui enlaça affectueusement les épaules.

— Je commence à avoir faim! mentit-elle avec assurance.

Ils sortirent de la maison.

— Nous allons y remédier, continua-t-il gaiement.

Justin l'emmena vers la foule des invités.

Au beau milieu se tenait Rémi. Le regard de Gina fut malgré elle attiré par son magnétisme. Son apparence extraordinairement virile et pleine de vie le distinguait des autres. Il exerçait une attirance irrésistible. Gina, en dépit du mépris qu'elle éprouvait pour sa personne, lui reconnut ce pouvoir.

Rémi laissa errer son regard et rencontra celui de Gina. Elle se détourna aussitôt et s'efforça de regarder dans la direction opposée.

Elle poussa un profond soupir et décida de ne pas se laisser troubler par cette présence indésirable. Elle s'était enfin remise de son choc initial. Tout en le détestant, elle refusait que sa soirée fût gâchée par sa faute.

— Vous arrivez à temps! lança Katherine Trent.

Son frère s'approchait en effet, un bras passé autour des épaules de Gina. La sœur de Justin se tourna vers un autre couple pour leur glisser en aparté :

— Mon frère arrive toujours au moment de se mettre à table!

— Mon flair me trompe rarement, renchérit-il avec bonne humeur.

Gina jeta un coup d'œil surpris à sa montre : elle avait passé près d'une heure dans la maison à revivre les vieux souvenirs.

Justin se tourna vers ses invités et lança à la cantonade :

— Le moment est venu!

Tout le monde se porta volontaire pour aider à soulever la lourde toile qui recouvrait le grand récipient en aluminium. Une délicieuse odeur s'éleva : mélange exotique d'arômes de fruits de mer et de légumes. Ce parfum emplit l'air. Un murmure d'approbation courut parmi les invités.

— Je n'ai pas assisté à ce genre de soirée depuis des éternités, déclara l'un d'eux, mais je n'oublierai jamais ce merveilleux parfum.

Gina, un sourire de connivence aux lèvres, chercha des yeux celui qui exprimait si bien sa pensée. Mais son regard plongea dans celui de Rémi, qui bloquait son champ visuel. Il posait sur elle des yeux bleus impénétrables. Le sourire de la jeune femme s'évanouit, les battements de son cœur s'accélérèrent.

Force lui fut de le reconnaître; le temps n'effaçait pas tous les souvenirs; beaucoup demeuraient, et pas seulement les moments de haine ou de colère. Les souvenirs d'un désir fulgurant lui traversaient également l'esprit. Cette découverte la bouleversa : elle voulait se rappeler uniquement sa haine pleine d'amertume, et ne plus jamais s'exposer à l'humiliation de cet homme.

— Allez-y, servez-vous, invita Katherine.

L'énorme plateau de nourriture avait été déposé sur une longue table. Les homards d'un rose écarlate se détachaient sur leur canapé d'algues.

Aux côtés de Justin, Gina fit la queue pour se servir. Dans l'agitation générale, elle avait perdu Rémi de vue, et espérait bien ne plus le rencontrer.

— Emporte nos assiettes sur cette table, là-bas, lui demanda Justin. J'apporterai les homards et le beurre de ferme.

La jeune femme acquiesça. En se retournant, elle vit Rémi installé à la table de pique-nique indiquée par Justin. Elle hésita, mais son compagnon la poussa gentiment. Toutes les tables n'allaient pas tarder à être prises. Elle ne pouvait expliquer à Justin son refus de partager cette table-là, et ne pouvait émettre aucune objection plausible.

Elle s'exécuta donc, bon gré mal gré. Quand elle disposa les deux assiettes en face de lui, il lui jeta un regard totalement indifférent. Il semblait s'intéresser davantage au couple assis à ses côtés. Justin arriva presque aussitôt, les mains pleines, portant un sac de palourdes.

— Je ne sais par où commencer, s'exclama en riant la femme assise en face de Gina.

— Goûte un peu à tout, suggéra l'homme à ses côtés, qui devait être son mari.

Il se pencha alors vers le petit sac de palourdes et ajouta :

— Tiens, je vais t'écosser une palourde.

— Mais non, Henry, protesta Justin, un Maine-iaque écosse des petits pois, mais « ouvre » les palourdes !

Avec l'aide de Gina, il déposa sur la table les assiettes de homards.

Une discussion s'ensuivit à propos d'expressions locales particulières à l'état du Maine. Justin et ses amis échangèrent des anecdotes sur divers incidents amusants, vécus ou entendus. Rémi et Gina, eux, se taisaient.

A un moment donné, Justin se mit à expliquer l'origine d'un terme, et la jeune femme sentit le regard de Rémi posé sur elle. Elle ne put s'empêcher de se demander s'il se rappelait le jour où elle avait décrit à Peter l'origine de certains vocables.

— Et l'expression « heureux comme une palourde »? s'enquit leur voisine.

— Je n'en connais malheureusement pas l'origine, s'excusa son hôte.

— Gina la connaît peut-être, intervint Rémi, elle est née dans un port sous le vent.

La jeune femme était en train de décortiquer une pince de homard. Elle leva la tête, surprise de l'entendre prononcer son prénom. Il se souvenait, devina-t-elle à son regard moqueur et légèrement sarcastique.

Elle se ressaisit rapidement pour expliquer :

— « Heureux comme une palourde » est un raccourci. L'expression non abrégée dit : « Heureux comme une palourde à marée haute », car de toute évidence, personne ne va ramasser les palourdes à marée haute.

Cette histoire amusa tout le monde.

Henry voulut ensuite revenir au terme employé par Rémi :

— « Sous le vent »... Cette expression me déroute, je

n'arrive jamais à comprendre. Pouvez-vous nous l'expliquer?

Gina se plia volontiers à sa demande :

— Sur la côte du Maine, le vent dominant est un vent de suroît, c'est-à-dire du sud-ouest. Au temps des grands voiliers, les navires qui quittaient Boston pour remonter la côte naviguaient « sous le vent » : ils voguaient vers le nord-est du pays. Je suis née dans le nord-est du pays, donc « sous le vent ».

— C'est fascinant, n'est-ce pas, s'exclama son interlocutrice; je me souviens, quand nous étions...

La conversation glissa sur les voyages.

Ni Gina ni Rémi n'y prirent part. Il la regarda à plusieurs reprises, et elle en fut gênée. Extrêmement tendue, elle avalait avec peine son repas. Elle refusa pourtant de montrer l'effet désastreux de cette présence sur son appétit, et se força à finir son assiette.

Justin remarqua son mutisme inhabituel; il lui murmura à l'oreille :

— Tu te fermes à nouveau.

Gina secoua énergiquement la tête :

— Mais non, je mange.

Le visage de Justin se trouvait à quelques centimètres du sien. Il suffisait à la jeune femme de tourner légèrement la tête pour effleurer ses lèvres. Mais le regard de Rémi pesait sur elle. Le couple d'invités se leva pour aller se resservir.

— Tu as terminé ton homard, observa Justin, je vais t'en chercher un autre.

— Non merci, vraiment je...

Mais il s'était déjà levé de table.

— Il te sert toujours ainsi? demanda froidement Rémi.

— Justin est un hôte très attentif, répliqua-t-elle.

Elle évita de croiser son regard, s'empara d'une palourde et entreprit de l'ouvrir.

— Bien sûr, se moqua-t-il.

Quelques secondes s'écoulèrent. Puis Rémi commença :

— Ton grand-père...

— Il est mort, interrompit-elle.

— Je suis désolé.

— Cela m'étonnerait.

Elle le défia du regard. Ses yeux verts lançaient des éclairs.

Il prit un air arrogant avant d'admettre :

— Tu as sans doute raison. Excuse-moi.

Sur ces mots, il quitta son siège.

Il ne revint pas, mais curieusement, Gina n'en éprouva aucun soulagement. Il se perdit parmi les invités. Il fut l'un des premiers à partir, mais la jeune femme ne put se délivrer de son image.

Plus tard dans la soirée, après le départ des derniers invités, Justin la reconduisit chez elle. Dans la voiture, elle n'ouvrit pas la bouche, les yeux perdus dans la nuit.

Il se décida enfin à rompre le silence :

— C'était une belle soirée, n'est-ce pas?

— Oui... Rémi Owens t'a-t-il questionné à mon sujet?

Elle se mordit aussitôt les lèvres : pourquoi mentionner son nom, alors qu'elle désirait si vivement l'oublier.

Il posa sur elle ses yeux bruns.

— Non. Vous vous connaissiez, j'ai l'impression.

La jeune femme hésita, puis décida de dire la vérité.

— Je l'ai rencontré il y a longtemps.

— Et puis?

— Et puis rien.

Il aurait été prématuré de lui raconter la suite.

— Il y a combien de temps? insista-t-il.

— Neuf ans.

— Quel âge avais-tu? Seize ans?

Gina hocha la tête.

— Si tu te souviens de lui au bout de tant d'années, il doit avoir été important pour toi. Est-ce un ancien béguin ?

— Pas exactement, mentit-elle.

— Neuf ans après, que penses-tu de lui aujourd'hui ?

— Il est toujours aussi arrogant et égocentrique. Parlons de choses plus agréables.

Justin lui obéit, un petit sourire au coin des lèvres. Tout le reste du chemin, il émit des généralités sur la soirée, et ne mentionna pas une seule fois le nom de Rémi. Arrivé en ville, il arrêta la voiture devant la porte de l'appartement de Gina, coupa le moteur et se tourna vers la jeune femme.

— Après ces banalités, parlons un peu de la lune, des étoiles, et de la femme merveilleuse qui est dans mes bras.

Il l'avait tendrement enlacée et attirée contre lui.

A contrecœur, elle se laissa faire.

— Mais il n'y a pas de lune, ce soir, fit-elle remarquer.

— Nous ferons comme si, murmura Justin en se penchant vers elle.

Il l'embrassa doucement. Gina fit semblant de lui rendre son baiser avec ardeur. L'étau de ses bras ne lui procura pas le sentiment de chaleur habituel. Elle se reprocha son absence de désir.

Elle redevenait indifférente aux caresses. Un blocage psychologique l'en empêchait à nouveau : un mécanisme de défense pour se protéger des élans de la passion.

Gina finit par mettre un terme à leur étreinte. Il la serra plus fort dans ses bras pour protester contre son refus, mais elle le repoussa avec fermeté et le maintint à distance. Justin poussa un soupir déçu et la lâcha. Elle implora son pardon d'un sourire.

— Si nous avons toujours rendez-vous demain matin à neuf heures, il me faudra me lever tôt : je dois d'abord me rendre à mon bureau afin d'y examiner les différentes propositions. Par conséquent, ce soir, j'ai besoin de sommeil.

— Tu ne m'invites même pas à prendre un café, je suppose?

— Non, répondit-elle avec un large sourire.

— Pourquoi? s'enquit-il d'un air faussement dégagé.

Il voulait une réponse sérieuse, elle le sentit.

— Parce que si je t'offre un café, tu vas interpréter mon invitation d'une façon complètement différente.

Justin rit de la justesse de cette observation. Puis il étudia attentivement son visage.

— Pourquoi joues-tu les inaccessibles avec moi?

— Je suis inaccessible.

Elle sourit aussitôt pour atténuer la dureté de sa réponse.

— Quelqu'un doit t'avoir profondément blessée, un jour. Je l'ai deviné il y a quelques mois. C'est sans doute la raison de ma patience envers toi. N'aie crainte, je ne cherche pas à savoir.

Gina avait l'air stupéfaite de sa perspicacité.

— Bonne nuit, Justin. Et merci.

Ce merci contenait toute sa reconnaissance.

Elle l'embrassa légèrement et sortit.

6

Son ensemble noir, composé d'une jupe, d'un gilet et d'une veste, avait une coupe masculine. Mais le jabot en dentelle de son corsage blanc était d'une distinction toute féminine. L'ensemble était plutôt strict mais il faisait ressortir l'ébène de ses cheveux soyeux ainsi que l'éclat d'émeraude de ses yeux.

Un attaché-case en cuir à la main, Gina fit irruption dans l'antichambre du bureau de Justin. La secrétaire leva les yeux de sa machine à écrire, un sourire aux lèvres.

— Monsieur Trent vous attend, vous pouvez entrer, miss Gaynes.

— Merci.

Elle entra sans frapper dans le bureau. C'était une pièce spacieuse et confortable.

Justin se leva pour accueillir la jeune femme :

— Je vous présente ma conseillère juridique. Sa compétence est inégalable : elle est la clef de mon succès. Lorsqu'elle est là, les parties en présence en oublient de négocier les termes du contrat, monsieur Arneson.

Le sourire froid et professionnel de Gina se figea sur ses lèvres : un regard bleu, tranchant et glacial, la clouait sur place. A côté du bureau de chêne massif, assis dans un fauteuil de cuir, se tenait Rémi.

A la gauche du bureau, un autre fauteuil était occupé par un troisième personnage. Celui-ci s'était levé à la vue de la jeune femme, comme hypnotisé par cette apparition.

Des cheveux blonds encadraient son large front. Une paire de lunettes métalliques dissimulait presque ses yeux noisette. Son visage enfantin, enclin aux taches de rousseur, avait acquis une certaine maturité. Mais Gina reconnut immédiatement Peter.

Il mit plus longtemps à la reconnaître; il ne se remettait pas de sa surprise. Dans l'attente d'une confirmation, il jeta un bref coup d'œil au visage sévère de Rémi.

Gina fut la première à se ressaisir. Elle tendit la main à Peter, médusé :

— Bonjour, monsieur Arneson.

— Gina, c'est bien toi...

Une expression d'incrédulité marquait ses traits. Il lui prit la main et la garda longtemps dans la sienne. Soudain, il enregistra rétrospectivement la manière polie et anonyme avec laquelle elle s'était adressée à lui. Il rectifia aussitôt :

— Oh, pardon! J'aurais dû dire madame O...

— Miss Gaynes, corrigea-t-elle instantanément.

Un tremblement nerveux était passé dans sa voix.

Peter ne put réprimer un léger sursaut.

— Oh, vous avez changé de nom après...

— C'est exact, interrompit-elle à nouveau.

Elle retira brusquement sa main de celle de Peter. Elle avait pâli en voyant un froncement de sourcils assombrir le beau visage de Justin.

— Je ne vous suis pas très bien, déclara-t-il avec irritation.

— C'est... commença la jeune femme.

Mais cette fois Rémi l'interrompit :

— Gina a toujours voulu garder le secret, et c'est regrettable, mais elle est ma femme.

Ses yeux d'un bleu porcelaine croisèrent le regard meurtrier de Gina. Elle put y lire une lueur diabolique et amusée.

— Ancienne femme, précisa-t-elle sèchement.

— Tu as été mariée avec lui? interrogea Justin.

Il ne parvenait pas à en croire ses oreilles : non seulement elle avait été mariée, mais de plus, Rémi était son mari!

La jeune femme eut l'impression d'être au banc des accusés. Elle se planta devant le bureau de chêne, la tête haute pour dissimuler son désarroi intérieur. Son cœur battait follement dans sa poitrine, comme celui d'un petit animal pris au piège.

Peter, conscient d'avoir, par sa réaction incontrôlée, déclenché un drame, se balançait nerveusement d'un pied sur l'autre. Justin nageait dans la confusion. Il avait l'air furieux. Seul Rémi semblait maître de lui, détendu et insouciant, confortablement installé dans son fauteuil.

— J'ignore pourquoi Gina a changé de nom, et pourquoi elle ne vous a pas parlé de notre mariage, déclara-t-il; mais peut-être avait-elle honte de sa conduite lors de notre brève union.

— C'est faux!

Gina avait fait volte-face. Elle faillit s'étrangler de colère.

— A aucun prix je ne voulais me souvenir de notre regrettable association, aussi ai-je repris mon nom de jeune fille, afin d'effacer de ma vie toute trace de ton existence.

— Tu en as pourtant conservé un souvenir, fit cruellement observer Justin, les yeux fixés sur son alliance.

La jeune femme rougit.

— C'était la bague de ma grand-mère, se défendit-elle.

Mais ni elle ni Rémi n'étaient dupes : ce dernier lui avait glissé l'anneau au doigt le jour du mariage.

— J'aurais préféré que tu me racontes tout cela hier.

Justin avait parlé avec une hargne mal contenue. Cet aveu en présence de deux autres hommes lui coûtait.

Gina répliqua avec raideur :

— J'espérais ne plus jamais le revoir après la soirée d'hier. En entrant dans ce bureau ce matin, je ne m'attendais vraiment pas à le trouver assis là...

Son attaché-case, qui contenait les propositions de contrat, semblait lui brûler les doigts. La raison de la présence de Rémi lui vint subitement à l'esprit. Elle posa sur lui ses yeux étincelants de rage :

— Tu es le directeur des Entreprises Caufield, je suppose?

— C'est exact.

Il hocha la tête d'un air moqueur et arrogant.

— Peter est mon avoué. Il sera mon conseiller juridique lors des négociations concernant l'achat de cette fameuse propriété, si Justin est toujours disposé à la vendre.

Les doigts de la jeune femme se crispèrent sur la poignée de son porte-documents. Elle se tourna vers Justin : son intention première fut de lui demander de louer les services d'un autre juriste. Les négociations, en effet, promettaient d'être longues et difficiles; un désaccord s'était élevé sur la valeur du terrain, et les statuts de la propriété comportaient de surcroît certaines complications juridiques.

Il faudrait longtemps pour arriver à un compromis satisfaisant, et Gina n'avait aucunement l'intention de passer des heures en compagnie de Rémi. Mais elle n'eut pas le temps d'annoncer sa décision à Justin, car Rémi prit la parole :

— A mon avis, Justin, il serait plus sage de reporter notre réunion.

Il se leva nonchalamment et vint se placer aux côtés de la jeune femme. Parfaitement maître de ses émotions, il la dominait de toute sa hauteur. Il poursuivit tranquillement :

— Gina, j'imagine, est aussi réticente que moi à l'idée d'entamer en adversaires de longues négociations. En raison de notre alliance passée, il sera fort difficile de se montrer impartial et objectif lors des discussions. Or, des concessions seront indispensables de part et d'autre, afin d'aboutir à un compromis... Par conséquent, je comprendrais fort bien la démission de Gina et le choix d'un autre avocat. Mais bien sûr, il vous faudra du temps pour le mettre parfaitement au courant de l'affaire.

Gina sentit la colère lui monter à la tête. Rémi avait apparemment l'air de lui faciliter les choses en lui offrant une issue de secours. Mais en réalité, il exigeait son renvoi. Elle aurait pu, à la rigueur, tolérer ses moqueries ou son sarcasme; mais il lui était inacceptable de se voir intimer l'ordre de démissionner, sous couvert de délicatesse.

— Vous vous trompez lourdement, monsieur Owens.

Cette appellation cérémonieuse paraissait absurde, mais c'était pour elle la seule façon d'exprimer sa colère.

— Je ne souhaite pas être remplacée. Je suis beaucoup plus qualifiée que n'importe qui, car vos méthodes et vos façons d'agir me sont familières. Ainsi, je serai plus à même de défendre les intérêts de mon client.

Rémi tressaillit imperceptiblement. Mais il garda contrôle de lui-même, et n'émit pas d'objection. Pourtant, la jeune femme le sentit, elle venait de marquer un point. Elle posa son porte-documents sur le bureau, l'ouvrit et en sortit une chemise.

— J'ai rédigé un contrat-type de propriété comme point de départ.

Elle prit dans son dossier trois exemplaires du document et les distribua.

— Pour nous faciliter la tâche, nous pouvons examiner en premier lieu les points sur lesquels nous sommes d'accord, suggéra-t-elle.

Justin, par principe, lut attentivement le document. En fait, il connaissait déjà à fond la proposition contenue dans le contrat, car lui et Gina en avaient discuté en détail. Peter, l'air concentré, le parcourut par le menu. Il pesait mentalement chaque terme et chaque alinéa.

Avec une irritation croissante, Gina regarda Rémi survoler l'épais document, s'attardant à peine sur son contenu. Il ne tourna même pas la dernière page, et le lança sur le bureau de Justin.

Puis il déclara froidement :

— Je ne suis d'accord sur aucun point, pratiquement.

Pendant quelques secondes, la jeune femme s'efforça de tenir sa langue. Il essayait de provoquer sa colère, en critiquant tout d'emblée, afin de rendre la discussion impossible. Mais elle était déterminée à ne pas tomber dans son piège.

— Je préfèrerais entendre l'opinion de Peter, répondit-elle en l'ignorant.

Il hocha la tête d'un air condescendant et vaguement méprisant. Gina fit semblant de ne pas voir ce geste. Mais elle bouillait de colère intérieurement. Rémi se rassit avec aisance et se carra confortablement dans son siège.

De son regard légèrement voilé, il inspecta minutieusement la jeune femme, tandis qu'elle attendait la réaction de Peter, après examen complet du dossier. Elle feignit de ne pas sentir le regard de Rémi, mais son insistance pesante mit ses nerfs à dure épreuve.

Après avoir terminé sa lecture, Peter conclut :

— Ce contrat a été rédigé de main de maître!

Mais avec un sourire malin, il s'empressa d'ajouter :

— Malheureusement, il favorise les intérêts de votre client aux dépens du mien. En ce qui concerne les points sur lesquels nous sommes d'accord, j'aimerais proposer certaines modifications dans le choix des termes.

— Mais bien sûr, admit Gina. Je m'attendais aussi à de légers changements, en plus des modifications plus importantes.

Elle se munit d'un quatrième exemplaire du contrat.

— Pouvez-vous m'indiquer à quel endroit, de manière spécifique?

Peter se préparait à s'exécuter lorsque Rémi se redressa avec une impatience non déguisée.

— Je me chargerai avec Peter d'examiner cette proposition, de prendre des notes et de vous contacter dans quelques jours, Justin.

Il se dirigeait déjà vers la porte. Rémi venait de mettre abruptement fin à la réunion, mais Peter n'avait pas encore eu le temps d'enregistrer le message. Il regarda Gina d'un air embarrassé. Elle ne parvenait plus à maîtriser sa fureur. Il bredouilla un timide « au revoir » ramassa son porte-documents, la proposition de contrat, et s'élança à la suite de Rémi.

La porte se referma sur eux, et un silence de plomb envahit la pièce. Gina était immobile : comment avait-elle été assez sotte pour ne pas démissionner? se demandait-elle. Elle en avait l'intention, et Rémi le désirait également. Pourquoi diable s'était-elle jetée dans la gueule du loup?

Un léger mouvement derrière elle lui rappela la présence de Justin. Il allait certainement exiger des explications; mais elle se sentait incapable pour le moment de lui en fournir.

Elle se tourna avec raideur vers le bureau, remit son exemplaire du contrat dans le dossier et glissa le tout dans son attaché-case. Justin attendait et l'observait en silence. La jeune femme rejeta la tête en arrière et le regarda avec un sourire distant.

— Cette réunion ne s'est pas achevée sous de bons auspices, mais Rémi tient à acheter la propriété, sinon il ne serait pas venu de si loin.

Elle avait parlé sur un ton très impersonnel, afin de décourager toute question d'ordre plus intime.

— Appelle-moi dès qu'il aura repris contact avec toi.

Sur ces mots, elle s'apprêta à partir. Mais elle fut arrêtée par sa voix basse et suppliante.

— Gina...

— Oui, Justin?

Elle s'efforça d'avoir l'air intéressé en le regardant par-dessus son épaule.

— Tu as été mariée avec lui et tu ne me l'avais pas dit. Pourquoi?

Elle trouva soudain cette mâchoire carrée très agressive.

— Cela ne me semblait pas nécessaire.

— Pas nécessaire?

Il voulait manifestement poursuivre sur ce ton, mais se reprit.

— Et dans ce que tu as bien voulu me dire, qu'y avait-il de vrai?

— Tout était vrai.

— Donc, tu l'as épousé il y a neuf ans? Tu avais seize ans à l'époque, c'est bien cela?

Justin inclina la tête d'un air sceptique; la réprobation se lisait sur son visage.

— Oui, répondit-elle sèchement, ce qui explique bien des choses...

— Pourtant, tu as prétendu qu'il n'était pas un de tes anciens béguins, lui reprocha-t-il.

— Pour moi, c'est une flamme morte.

Elle venait de se rallumer, et cela avait fait des étincelles, mais seulement en raison de leur hostilité réciproque. Toute trace de passion avait disparu.

Justin frappa la table du poing.

— Mais bon sang, Gina, tu aurais dû m'en avertir, me dire qui il était, au lieu de me laisser croire à un vieil amour de vacances!

— Si seulement j'avais su qu'il était le directeur des Entreprises Caufield, je t'aurais parlé de cette histoire! Mais tu n'as pas pris la peine de me le dire. Tu es autant à blâmer que moi!

— Je croyais que tu le savais, se défendit-il. En tous cas, je n'essayais pas de te le cacher. On ne peut pas en dire autant de toi!

— Je n'aime pas beaucoup ces insinuations! s'écria-t-elle.

Elle s'était jusqu'ici appliquée à dompter sa colère, mais elle éclatait soudain.

— Et je n'aime pas non plus subir un interrogatoire, comme si j'étais jugée pour quelque abominable forfait!

— J'ai l'impression d'avoir été trahi, et tu ne peux pas me le reprocher!

Gina respira profondément; il lui fallait à tout prix se dominer.

— Si tu préfères engager un autre avocat, tu es parfaitement libre de le faire, Justin.

Et elle sortit de la pièce. Il n'essaya pas de la retenir. Gina travaillait dans un cabinet juridique, à un kilomètre du bureau de Justin. Par cette belle et fraîche matinée d'automne, la marche vint partiellement à bout de son énervement.

Un message l'attendait à son cabinet : rappeler Justin. Arrivée dans son minuscule bureau, elle composa son numéro avec une certaine appréhension : elle craignait en effet sa décision. Comme elle s'y attendait, il avait la voix cassante mais il lui annonça une bonne nouvelle : elle le représenterait dans les négociations du contrat.

Du point de vue professionnel, cela constituait une victoire, car elle s'était petit à petit bâti une réputation dans le domaine du droit financier. Sur le plan personnel, en revanche, il aurait mieux valu perdre cette affaire et ne pas avoir à supporter la présence de Rémi.

Deux jours plus tard, elle reçut par courrier une contre-proposition rédigée par Peter Arneson sur recommandation de Rémi. Elle en achevait la lecture lorsque le téléphone sonna. C'était Justin. Rémi avait prévu une réunion pour le lendemain après-midi, et il voulait l'en informer.

Gina lui parla de ce qu'elle venait de recevoir :

— Rémi trouvait peut-être notre proposition inacceptable, mais la sienne est totalement absurde.

— Il faudra se battre pour obtenir gain de cause, cela ne fait aucun doute, constata Justin avec une nuance de regret dans la voix.

— Mais ils devront se battre eux aussi, rétorqua-t-elle d'un ton belliqueux.

Le lendemain après-midi, elle répéta devant Rémi ce qu'elle pensait des clauses de son contrat. Ensuite, elle l'ignora délibérément pour débattre avec Peter de certains désaccords mineurs. Ils se penchèrent d'abord sur les cas les plus simples.

Mais Rémi s'interposa et souleva une âpre discussion sur un problème crucial. Au bout d'une heure de virulents échanges verbaux, Gina jeta avec humeur son stylo sur la table.

— Vous exigez de Justin des garanties ridicules, déclara-t-elle dans son exaspération, depuis le début vous connaissez l'existence de ce litige sur les limites de la propriété. Vous ne pouvez raisonnablement pas lui demander d'en prévoir l'issue!

— J'en ai le droit, et je compte l'exercer.

Il n'était prêt à faire aucune concession.

L'atmosphère se chargea d'électricité.

— Peux-tu me garantir qu'à la fin de ces négociations nous ne nous reverrons plus?

Gina le défiait, plongeant son regard dans ses yeux bleu acier.

— Si tu me le promets, je conseillerai à Justin de se soumettre à tes propositions, enchaîna-t-elle.

Son teint de cuivre s'assombrit. Il répliqua férocement :

— Je vous savais incapable, miss Gaynes, de mettre de côté toute considération personnelle lors de ces négociations.

Gina se raidit et pâlit sous l'insulte. La colère montait irrésistiblement en elle. De façon faussement posée, elle entreprit de rassembler ses documents et de les ranger dans son attaché-case, consciente du lourd silence qui venait de s'abattre sur eux.

Sans les regarder, elle referma sa mallette. Finalement, le pauvre Peter reçut la foudre de ses yeux verts, aussi froids que l'Atlantique en hiver.

— Je perds mon temps ici. Il est inutile que je reste là à discuter dans le vide, j'ai du travail à mon bureau.

Elle se leva.

— Quand votre client acceptera d'être raisonnable et de revenir sur certaines de ses exigences délirantes, nous pourrons reprendre ces négociations.

Elle jeta un bref coup d'œil à Justin, interloqué :

— Je t'appellerai plus tard.

Elle ne dit pas un mot à Rémi et sortit sans le regarder. Elle s'arrêta dans le bureau de la secrétaire et la pria d'appeler son cabinet : elle n'y retournerait pas cet après-midi. Elle se mit ensuite en chemin.

Une rage froide la guidait. Epuisée, elle arriva enfin dans son quartier. Elle se souvint alors avoir garé sa voiture près de son bureau.

A contrecœur, elle commença de rebrousser chemin. Mais finalement, y renonça, et rentra chez elle. La voiture était fermée à clef et ne risquait rien jusqu'à demain. Au matin, elle pourrait prendre un taxi pour se rendre à son travail.

Une fois chez elle, ses genoux se mirent à trembler. Une larme perla à sa paupière et se mit doucement à couler le long de sa joue. Pour la première fois depuis la mort de son grand-père, elle se mit à pleurer.

La sonnerie du téléphone retentit. Ce devait être Justin, pensa-t-elle, ou l'une de ses amies... Elle le laissa sonner sans répondre. Elle remplit sa baignoire d'eau chaude. La sonnerie retentit de nouveau, impatiente. Mais elle ne bougea pas, et versa des sels parfumés dans son bain.

Elle resta longtemps dans l'eau, à se prélasser. De temps en temps, le téléphone sonnait, en vain. Pendant ce temps, elle délassait ses muscles fatigués et ses nerfs tendus.

Enveloppée d'un peignoir, elle se rendit à la cuisine. Elle sortit le lait du réfrigérateur et s'en servit un verre. Quand elle revint au salon, l'impérieuse sonnerie du téléphone se fit de nouveau entendre. Les sourcils froncés, elle s'arrêta devant l'appareil. Qui donc essayait de la joindre de façon si insistante?

Au sixième coup, elle se décida enfin à répondre, furieuse de céder malgré elle. Mais son correspondant obstiné ne semblait pas disposé à la laisser en paix...

— Rémi à l'appareil.

Elle l'avait reconnu...

Son premier instinct fut de raccrocher, mais elle se ravisa :

— Que me veux-tu?

— Si tu as passé ta crise, et si tu renonces à bouder,

j'aimerais organiser une réunion pour ce soir, annonça-t-il.

— Je ne suis pas médecin, je suis avocate. Je ne suis pas de garde à toute heure du jour et de la nuit. Si tu souhaites une réunion, appelle Justin et arrange-toi pour la prévoir demain.

— J'ai une autre propriété en vue; son emplacement n'est pas idéal, mais les perspectives de développement sont appréciables, et tu ne seras pas là pour me créer des ennuis. Soit tu acceptes la réunion de ce soir, soit je renonce à ce contrat.

Il avait parlé d'une voix calme et déterminée.

— Tu essaies de me forcer la main, Rémi!

— Exactement. Après tout, tu as interrompu notre réunion d'aujourd'hui après avoir lancé un ultimatum : tu auras du mal à convaincre Justin que tu as agi dans son intérêt en refusant de participer à une réunion ce soir. Cette vente devrait beaucoup lui rapporter, il n'est pas prêt à la voir échouer, surtout par ta faute!

— Et naturcllement, tu t'arrangeras pour lui dire que tu étais disposé à faire des concessions, à condition que je fissc preuve de bonne volonté!

Une pointe de sarcasme passa dans sa voix.

— Tu lui raconteras tout cela, même si c'est un mensonge! ajouta-t-elle.

— Mais ni toi ni lui ne pourrez le vérifier, fit observer Rémi, si vous refusez de...

— A quelle heure?

— Sept heures et demie.

Elle jeta un coup d'œil à son poignet, mais elle avait enlevé sa montre.

— Quelle heure est-il maintenant?

— Près de six heures.

Cela lui laissait largement le temps de prendre un repas froid, de s'habiller et de se rendre en ville.

— Sept heures et demie, au bureau de Justin, accepta la jeune femme.

— Mais les bureaux seront fermés, j'avais donc prévu la réunion chez moi : j'ai loué un appartement. A moins, bien sûr, que tu n'y voies une objection?

Une voix en elle se rebellait. Mais elle ne pouvait le reconnaître, sous peine de mêler des considérations personnelles à une relation d'affaires : Rémi l'en avait accusée aujourd'hui même. Elle ne voulait pas être à nouveau la cible de ses railleries.

Elle répliqua donc avec une fausse indifférence :

— Non, pourquoi y verrais-je une objection? Peux-tu m'indiquer l'adresse?

Elle posa son verre de lait sur la petite table du téléphone, prit un bloc de papier et un crayon, et nota l'adresse de Rémi. Quand il eut raccroché, elle arracha la feuille et la roula nerveusement entre ses doigts.

Un pressentiment lui soufflait qu'elle faisait une erreur, mais il était trop tard pour revenir sur ses pas. Elle s'était engagée trop avant pour pouvoir changer d'avis.

Le verre de lait à la main, elle retourna à la cuisine; elle se prépara une petite salade de crevettes, en mangea la moitié, puis mit la vaisselle sale dans l'évier. Elle ouvrit ensuite son placard pour se choisir un vêtement. Mais rien ne l'inspirait.

Il faisait trop chaud pour porter une veste, et un pantalon sans veste eût semblé trop décontracté. Elle opta finalement pour une jupe blanche évasée, une tunique pourpre, et un petit gilet assorti, avec des fleurs roses et rouges.

Elle fut rapidement amenée à regretter ce choix : lorsque le chauffeur de taxi frappa à sa porte, et que la jeune femme se présenta devant lui, le regard de cet homme se remplit d'admiration. Mais il était trop tard pour se changer. Elle avait déjà son porte-documents à la main; elle ferma sa porte à clef et le suivit jusqu'au taxi. Sa mallette de femme d'affaires la rassurait : c'était presque un bouclier contre sa féminité; bien fragile, certes, mais elle servait surtout à la protéger contre elle-même.

Pendant tout le trajet, le chauffeur de taxi déversa sur elle un flot incessant de paroles. Elle répondait par « oui », « non », mais il ne se découragea pas. Elle aurait pourtant eu besoin de se concentrer avant d'arriver chez Rémi, afin d'établir une stratégie. Elle pouvait d'habitude faire abstraction de son environnement, mais cette fois, elle en fut incapable.

7

Le trajet fut relativement court. A sept heures vingt, le taxi s'arrêta devant l'appartement de Rémi. La jeune femme frappa à la porte. Quand elle eut devant elle sa haute stature virile et attirante, Gina ne put réprimer un frisson.

Sa chemise de soie verte accentuait le bleu de ses yeux. Un pantalon bien coupé, d'un vert plus sombre, tombait élégamment sur ses hanches et ses cuisses musclées.

— Les deux autres ne sont pas encore arrivés, je vois?

Elle aurait voulu prendre un ton posé et professionnel, mais le tremblement nerveux de sa voix la trahit.

— Non, pas encore. Entre!

Il la regarda des pieds à la tête, l'air lointain. D'un geste, il lui indiqua le salon :

— Fais comme chez toi, invita-t-il courtoisement.

Impossible, pensa-t-elle, tout en le remerciant d'un sourire guindé. Dans cette pièce agréablement décorée se mariaient des tons de beige et de pêche; un panneau de toile de jute orange ajoutait une note vive. Guère pratique, jugea la jeune femme, mais du plus grand chic! Quelle vue avait-on de la fenêtre, se demanda-t-elle? Les rideaux étaient malheureusement tirés et filtraient les rayons du soleil couchant.

— Puis-je t'offrir quelque chose à boire? s'enquit-il d'un ton poli et distant.

— Un verre de vin blanc, si tu en as, accepta-t-elle.

Elle s'assit sur le confortable canapé beige et posa son porte-documents sur le pouf assorti.

Elle avait les mains moites de nervosité. Elle attendait avec impatience l'arrivée de Peter ou de Justin. Elle était seule avec Rémi, et tout dans l'appartement semblait le lui dire. Elle aurait nettement préféré une réunion dans un bureau à ce cadre intime. Elle ne désirait qu'établir avec lui une stricte relation d'affaires, mais les lieux ne s'y prêtaient pas.

Elle avait les nerfs à fleur de peau; Rémi s'approcha d'elle. Il ne lui tendit pas son verre de vin, mais se contenta de le poser sur un coin de la table basse. Il évitait ainsi de la toucher par mégarde: Gina le remarqua.

Il s'assit dans un fauteuil à côté du canapé. Elle se sentait incapable de mener avec lui une conversation futile, surtout lorsqu'elle le vit un verre de cognac à la main. Elle repensa aussitôt à leur nuit de noces. Elle se pencha sur son attaché-case et l'ouvrit, pour se donner une contenance.

— Nous pouvons commencer à...

— Non, plus tard.

Il l'avait interrompue d'une voix basse, légèrement dure.

Gina hésita une fraction de seconde, puis referma sa malette. Elle prit son verre de vin, s'adossa confortablement, et essaya d'avoir l'air décontracté. Sa main tremblait imperceptiblement quand elle porta son verre à ses lèvres. Elle en but rapidement le contenu, et garda le gobelet à la main. Elle sentait Rémi l'observer, et cela lui mettait les nerfs à vif.

— Tes collègues du barreau m'ont rapporté sur ton compte des propos très élogieux. Tu sembles avoir accompli des progrès remarquables en très peu de temps, depuis tes examens.

L'air absent, il avala une rasade de cognac, sans quitter la jeune femme des yeux.

— Merci. Oui, j'ai eu de la chance.

Elle ne voulait recevoir de lui aucun compliment, si telle était son intention.

— Bien sûr, tu es très belle : tes collègues masculins ne sont pas restés insensibles à tes charmes, avant de constater que ton intelligence était l'égale de ta beauté.

Une pointe de cynisme perçait dans sa voix. Un léger rictus se peignait sur ses lèvres. Gina se demandait s'il essayait de l'injurier, mais il enchaîna presque aussitôt, les yeux rivés sur le liquide de couleur ambre contenu dans son verre :

— Je pensais que tu te serais spécialisée dans le droit maritime, pour suivre les traces de ton père, au lieu de t'occuper du droit foncier.

— Je semblais posséder une aptitude particulière dans ce domaine, alors je m'y suis lancée, expliqua-t-elle simplement.

Rémi but une gorgée de cognac et posa sur elle un regard attentif.

— Lors de cette fameuse soirée sur la plage, tu as évoqué la mort de ton grand-père. Quand est-ce arrivé?

Il semblait témoigner pour la jeune femme d'un intérêt poli, mais elle se méfiait de ces questions affables. Il lui fallait cependant y répondre. Si elle ne tenait pas sagement son rôle dans cette trêve apparente, une querelle s'amorcerait inévitablement.

— Il est mort il y a huit ans.

Des souvenirs pénibles assaillirent instantanément Gina. L'émotion s'empara d'elle. Pour la chasser, elle se leva du canapé et se dirigea vers la cheminée, de pierres de couleur rouille et sable.

Rémi n'esquissa pas l'ombre d'un geste de sympathie, sans doute échaudé par la réaction brutale de la jeune femme lors de la soirée.

— Qu'as-tu fait alors?

— J'ai vendu la maison, et j'ai continué mes études.

En une phrase, elle venait de résumer huit ans de son existence.

Elle avait toujours les doigts crispés sur son verre. Elle se sentait si gauche! Elle jeta un coup d'œil à sa montre : Justin et Peter tardaient à arriver. Pourvu qu'ils se dépêchent, pria-t-elle silencieusement. L'atmosphère commençait à être tendue.

— Encore un peu de vin? proposa Rémi.

Lui-même se resservit un verre au bar.

— Non, merci, déclina-t-elle poliment.

— Depuis combien de temps connais-tu Justin?

Du fond de la pièce, elle vit passer dans ses yeux cobalt une sombre lueur; elle en ressentit un malaise. Cette question ne semblait pas aussi anodine que les précédentes. Elle hésita avant de répondre :

— Peu après m'être installée à Portland pour travailler dans mon cabinet juridique. J'ai déjà eu l'occasion de représenter Justin lors de plusieurs transactions immobilières.

Un sourire cynique tordit sa bouche quand il porta son verre à ses lèvres.

— Que veux-tu dire par là? Il n'est pour toi qu'une relation d'affaires?

Elle brûlait d'envie de lui dire que cela ne le regardait pas; mais si elle parvenait à garder son calme jusqu'à l'arrivée de Justin et Peter, l'on aborderait alors des sujets de conversation moins personnels : elle prit son mal en patience.

— Je sors parfois avec lui, admit-elle.

Rémi l'avait certainement deviné.

— Tu le vois souvent?

Il se dirigea nonchalamment vers la cheminée, près de laquelle se tenait la jeune femme.

Elle releva le menton en signe de défi : il n'avait aucun droit de la questionner, et elle tenait à le lui montrer. Elle lui répondit néanmoins, l'air détaché, avalant sa colère.

— Plusieurs fois par semaine, si c'est ce que tu appelles souvent.

Il soutint son regard :

— Est-il ton amant?

Il était allé trop loin. La main de la jeune femme vint s'écraser sur le visage de Rémi. Eberluée par son propre geste, elle regarda la marque blanche de ses doigts rougir peu à peu. Elle fit un pas en arrière : elle craignait maintenant sa réaction, ayant eu par le passé l'occasion de faire les frais de ses « humeurs ».

Immobile, il ne cillait pas, tel une statue de pierre. Gina se sentit prise de panique.

— Comment dois-je interpréter cette réponse? Oui ou non?

— Cela ne te regarde pas! lança-t-elle.

Elle respirait maintenant de façon haletante.

Rémi vida son verre de cognac et le posa sur le rebord de la cheminée.

— Si, cela me regarde. Moi aussi, Gina, je te connais, ne l'oublie pas, et tes méthodes me sont familières.

Jamais la jeune femme n'avait eu aussi peu confiance en lui. Elle se tenait sur ses gardes.

— Que veux-tu dire?

— Je me demande jusqu'où tu iras pour m'obliger à accepter les conditions imposées par Justin, expliqua Rémi.

Une expression de mépris avait soudain durci ses traits.

— T'obliger?...

Abasourdie, la jeune femme secoua sa tête brune.

— Mais nous allons discuter ensemble des conditions du contrat, protesta-t-elle naïvement.

— Avec un chantage à la clé?

Cette insinuation diabolique la glaça jusqu'aux os.

— Un chantage?

— Tu n'as jamais entendu ce mot, peut-être? Tu t'en es pourtant servie, jadis, non? Mais ce petit jeu peut s'avérer dangereux : tu ne t'y risquerais pas si Justin t'étais indifférent.

Gina pâlit.

— Mais comment pourrais-je te faire chanter?

— Ne fais pas l'innocente, Gina, cela ne marche pas. Tu espérais me le cacher, je le sais, mais malheureusement pour toi, j'ai tout découvert.

— Mais qu'as-tu donc découvert? Cesse de parler par énigmes!

Elle se sentait menacée par la présence dominatrice de Rémi. Cette virilité écrasante la torturait.

— Tu es avocate, donc bien placée pour savoir que notre annulation de mariage n'a aucune valeur légale!

La jeune femme fut époustouflée par cette nouvelle.

— Quoi? articula-t-elle avec difficulté.

— J'ai porté un faux témoignage sous serment, par conséquent notre annulation n'est pas valide. Légalement, Gina, tu es encore ma femme.

— Non, c'est impossible, s'écria Gina, mais comment, pourquoi?

— Eh bien, pour parler délicatement, j'ai juré que notre mariage n'avait pas été consommé.

Les poings serrés, elle lui tourna rageusement le dos.

— C'était la façon la plus rapide de dissoudre notre mariage. Et la moins coûteuse. Le divorce peut mener à des complications, et prendre du temps. Tu avais accepté un dédommagement relativement modeste : je ne voulais pas risquer de te voir changer d'avis et me demander une somme plus importante, ou même de refuser l'annulation du mariage. Mais j'ai appris par la suite la précarité de notre séparation, d'un point de vue officiel.

Elle ferma les yeux. Ce devait être un cauchemar, implora-t-elle; elle allait se réveiller de ce mauvais rêve. Une poigne de fer s'abattit sur son bras. Rémi la força à le regarder et à subir l'éclat d'acier de ses yeux.

— Tu prétends me faire croire que tu n'étais pas au courant?

Gina oscillait entre la crainte et la colère. Sa confusion était totale.

— Non, je ne le savais pas, insista-t-elle, je n'y pensais même pas.

Elle comprit soudain pourquoi il lui posait cette question. Elle en fut bouleversée d'indignation.

— Tu croyais que je voulais te faire chanter, en me fondant sur l'invalidité de notre annulation de mariage?

Il le reconnut sans la moindre gêne :

— Oui, je m'y attendais. Tu t'es déjà, dans le passé, abaissée à me faire chanter pour de l'argent. Pourquoi ne pas recommencer?

Gina suffoqua sous l'énormité de l'accusation et fut prise d'une rage folle.

— Parce que je voulais t'éliminer de ma vie! J'ai accepté ton argent car c'est la seule valeur reconnue par les gens de ton espèce; je voulais te faire payer pour le mal que tu avais fait à mon grand-père et à moi, je voulais te voir disparaître!

Les doigts de Rémi s'enfoncèrent davantage dans le bras de la jeune femme. Ses os fragiles n'allaient pas résister, pensa-t-elle avec effroi. Instinctivement, elle chercha à se dégager de cet étau de fer. Elle souffrait le martyre de l'animal sauvage qui préfère se ronger la patte plutôt que d'être pris au piège.

Sans effort, Rémi serra davantage. Aveuglée de douleur, Gina sentit ses jambes se dérober sous elle. Il en profita pour l'attirer contre lui. Une expression de détermination impitoyable se peignait sur son visage. La panique de la jeune femme ne connut plus de bornes. Mais elle continuait désespérément à se débattre.

— Ainsi tu voulais m'éliminer de ta vie, se moqua-t-il cruellement.

De l'autre main, il lui enserra la gorge.

— Et bien, efface cela si tu peux!

Sans ménagement, il l'obligea à lever la tête pour recevoir sa bouche vengeresse. De son bras libre, elle repoussa de toutes ses forces son épaule musclée et le maintint à une certaine distance.

Mais il lui prit sauvagement les lèvres. Il voulait lui infliger une punition, une humiliation. Elle se défendait tant bien que mal. Elle réussit au moins à ne pas laisser la bouche de Rémi s'écraser sur ses lèvres rigides.

— Je te méprise pour agir ainsi, réussit-elle à lui lancer au visage.

Elle avait encore assez d'énergie pour lui résister, et cela redoubla sa colère. Gina sentit les muscles de son épaule solide rouler sous ses doigts, tandis qu'elle s'acharnait à le repousser. Il la saisit brutalement par la nuque.

Le bras de la jeune femme, désespérément tendu entre elle et lui, céda sous le nouvel assaut. Vaincue par sa force brutale, elle fut littéralement projetée contre lui.

Elle heurta violemment sa poitrine de fer. Elle en eut le souffle coupé. Elle n'eut pas le temps de se ressaisir : déjà il l'étouffait de fougueux baisers. La capacité de résistance de Gina fut sérieusement entamée. Sa vue se brouilla. Elle ferma les yeux.

Ses larges épaules semblaient la recouvrir totalement. Elle ne put l'empêcher de presser contre lui ses formes doucement féminines.

Ce fut lui qui fondit le premier. Le contact de ce tendre corps serré contre lui eut raison de sa colère. Il n'était plus guidé par la vengeance. Il ne relâcha pas son étreinte, ni la violence de son baiser; mais un changement subtil se produisit : sa bouche se fit plus experte.

Gina fut alors ramenée des années en arrière. Elle avait cru tout désir éteint, mais il renaissait de ses cendres. Une douce chaleur envahit son corps, son cœur palpita comme jadis.

La passion s'emparait d'elle peu à peu. Bientôt elle serait perdue, entièrement soumise à la volonté de cet homme. Cela constituerait pour elle l'ultime humiliation. Il lui restait assez de fierté pour s'arracher à son étreinte. Chancelante, elle réussit à s'écarter de lui et recula de deux pas.

Elle lui tourna le dos et posa les mains sur son ventre, pour essayer de calmer son anxiété, décidée à ne plus le regarder. Son visage hâlé et dur, comme sculpté, était trop séduisant. Elle se sentait si vulnérable! Un frisson lui parcourut l'échine quand elle l'entendit s'approcher. Il lui fallait à tout prix renier le désir qu'il éveillait en elle.

Lorsqu'il se tint debout derrière elle, elle lui déclara :

— Je te demande seulement de sortir de ma vie et de ne plus jamais y revenir!

Pendant neuf ans, elle s'était persuadée qu'elle le haïssait. Mais s'il s'avisait de poser la main sur elle à cet instant précis, elle perdrait la tête. Les yeux fermés, elle l'implora silencieusement de ne rien en faire.

Il effleura légèrement ses cheveux bruns, près de la nuque. Gina vacilla et fit un pas en avant, pour éviter le contact de ses doigts. Elle étouffa un doux gémissement.

D'une voix lointaine mais chaleureuse, Rémi l'interrogea :

— Quand t'es-tu coupé les cheveux?

— Il y a quelque temps.

Elle essayait de prendre un air détaché.

Sans tenir compte des imprécations antérieures de la jeune femme, ni de son désir de le bannir à jamais de sa vie, il poursuivit :

— Pourquoi?

Gina se trouvait incapable de lui réitérer sa haine. Il se tenait trop près d'elle : ses pensées n'étaient plus aussi nettes. Elle mesurait intuitivement la courte distance qui les séparait.

— Ce n'était pas pratique, répondit-elle nerveusement, et puis, les cheveux longs ne sont plus à la mode.

— Ils ne se démodent jamais, corrigea-t-il sèchement.

L'inflexion de sa voix changea soudain :

— Tes cheveux m'ont toujours fait penser au satin bleu nuit. Soyeux et brillants, avec des reflets nocturnes...

Ses nerfs, déjà ébranlés, tressaillirent sous ce compliment. Lui tourner le dos ne la protégeait plus, Elle se retourna donc vers lui. Le regard bleu si attirant, électrisa la jeune femme.

Comme paralysée, elle le regarda, immobile. Ses cheveux d'ébène retombaient en lourdes boucles sur son front hâlé. Ses sombres sourcils rehaussaient l'éclat de ses prunelles. Ses pommettes saillantes s'harmonisaient parfaitement avec sa mâchoire carrée et agressive. Deux plis cyniques encadraient sa bouche dure et sensuelle.

Un masque de cuivre semblait recouvrir le tout, afin de mieux dissimuler ses pensées. Dans ses traits étaient gravées sa force virile, sa puissance et sa volonté.

Gina fut frappée par la découverte suivante : il n'admettait pas qu'on lui résistât.

— Pourquoi es-tu venu dans le Maine? Ne pouvais-tu acheter un terrain ailleurs? Je ne veux pas te voir ici, je veux t'oublier!

Cela aurait été possible, s'il n'était pas revenu la hanter.

— Pourquoi n'es-tu pas resté loin d'ici? Pourquoi ne m'oublies-tu pas? continua-t-elle, folle de colère.

Il retira enfin son masque. Ses yeux pleins de rage se firent tranchants comme une lame d'acier. Il cloua Gina sur place.

— C'est ce que tu espérais, n'est-ce pas? Quand je t'ai revue, lors de cette soirée, tu ne pensais pas que j'allais te reconnaître, tu espérais.

Quand elle fit non de la tête, incapable de se justifier, les narines de Rémi se dilatèrent de mépris.

— Ne te fatigue pas à mentir. J'ai lu dans tes yeux ce jour-là.

Une rage sourde sembla l'envahir. Après une légère pause, il explosa pour crier douloureusement :

— Tes yeux de malheur!

Comme atteint en plein cœur, il pivota sur lui-même.

Mais il parvint à contrôler la violence de son émotion. Gina frémit des pieds à la tête : elle ne comprenait pas l'origine de cette brusque flambée de colère, mais s'en sentait confusément coupable. Ses jambes se dérobaient à nouveau sous elle.

Il commença lentement à s'expliquer, d'une voix vibrante mais contenue :

— Depuis notre première rencontre, tes yeux n'ont cessé de me hanter. Verts comme l'océan. Dangereux, insondables, envoûtants comme la mer. J'ai eu beau tout faire pour t'oublier...

Ainsi, lui aussi avait vainement cherché à l'oublier, du moins l'affirmait-il. Mais alors, pourquoi avait-il mis tant d'acharnement à se débarrasser d'elle neuf ans auparavant?

Gina fit appel à son orgueil pour se protéger.

— Je ne te crois pas, lança-t-elle.

Il l'étudia attentivement.

— J'aurais pu baptiser mon bateau en souvenir de toi : La Sorcière des Mers. Cela te caractérise parfaitement. Tu es le genre de sorcière qui peut rendre un homme fou. Tu m'as jeté un terrible sort. Au bout de neuf ans, je suis encore sous le charme...

Ses paroles cyniques étaient teintées d'amertume.

Glacée par son mépris sous-jacent, la jeune femme murmura :

— Je ne comprends pas un traître mot.

— Ah bon? Au cours des neuf dernières années, à chaque fois que je regardais l'océan, je voyais le vert de tes yeux. L'obscurité de la nuit me rappelait tes cheveux noirs. Le soleil représentait pour moi la couleur dorée de ta peau. La chaleur de ses rayons était celle de ton corps contre le mien.

— Non, je ne te crois pas, articula-t-elle dans un souffle.

Il poursuivit, comme s'il ne l'avait pas entendue :

— J'ai appris la mise en vente de cette propriété dans le Maine. Son emplacement était idéal pour l'établissement de notre succursale; j'ai cependant rejeté l'idée de l'acheter, parce que tu vivais dans les environs. Je ne suis pas venu ici pour te dénicher, ni pour te persécuter. Je suis venu chasser ton fantôme. A peine arrivé, je te rencontre...

Il était repris de colère. Les nerfs à fleur de peau, Gina se sentit agressée sans raison :

— J'ai été surprise la première, en te voyant! répliqua-t-elle avec raideur.

— Vraiment? Tu n'avais pas l'air étonnée, pourtant. Tu m'as salué très calmement, enlacée par un autre homme. Tu as feint de ne pas me connaître, et tu t'es présentée : miss Gina Gaynes. Quelle fut ma première réaction, le sais-tu?

— Non.

Elle eût voulu se boucher les oreilles et ne plus entendre ce flot d'explications acides.

— Je me suis dit : elle essaye de cacher son mariage à

Justin. J'ai d'abord eu pitié de lui. Puis, le lendemain matin, je t'ai vue entrer dans le bureau ; tu étais là en avocate : j'allais être à nouveau floué. Tu m'as pris pour une cible facile, n'est-ce pas?

Il la défiait de toute sa hauteur.

Elle détourna son regard, se passa une main lasse dans les cheveux.

— Tu te trompes. J'ai essayé de ne pas penser à toi du tout.

— Si je m'étais remarié entre-temps, cela aurait facilité tes plans : tu aurais pu alors m'accuser de bigamie.

— Non, je ne m'attendais pas à te voir remarié.

C'était étrange. Au cours de ces neuf années, jamais elle ne l'avait imaginé auprès d'une autre femme. Cette pensée la bouleversa.

— Je ne voulais plus rien savoir de toi, ni de ta vie, après... Et je te l'ai dit, je n'étais pas au courant pour l'annulation. Je n'ai jamais eu l'intention de te menacer, je te le jure!

Rémi eut un rire méchant et incrédule. Il refusait décidément de la croire. Après tout, c'était son faux témoignage qui avait invalidé l'annulation du mariage, pensa la jeune femme.

— Après avoir constaté ce vice de forme, tu aurais dû m'avertir, lui reprocha-t-elle, j'aurais volontiers consenti au divorce!

— Moyennant quelle somme?

— L'argent, toujours l'argent! Lui seul compte pour toi!

— Tu as donné le ton, quand tu as monnayé l'annulation. C'est toi qui as suggéré cette compensation, et pas moi.

— C'est faux. Tu as été le premier à en parler, fit-elle calmement, certaine de détenir la vérité.

— Mensonge! protesta-t-il.

Gina affronta bravement son air de mépris.

— Le lendemain de notre mariage, je t'ai entendu discuter avec Peter sur la terrasse. Tu étais prêt à verser n'importe quelle somme pour ne pas m'épouser, lui disais-tu. Et tu aurais volontiers signé un chèque pour te débarrasser de moi. Tu lui as raconté d'autres histoires dégradantes sur mon compte : crois-tu honnêtement, après toutes ces humiliations, que j'aurais accepté de demeurer ta femme?

— Tu ne me détestais pas au point de refuser mon argent, fit-il perfidement observer.

— Je l'ai accepté, en effet. Le langage de l'argent est le seul que tu comprennes. Mais il n'a pas réhabilité l'honneur de mon grand-père, terni par ma conduite. Nate a cru m'avoir trahi, en voulant mon bien. Et il en est mort, par ta faute. Il voulait me voir heureuse et mariée; il me souhaitait le bonheur qu'il avait connu auprès de ma grand-mère. Comment pouvais-je être heureuse, quand tu t'obstinais à me traiter de gamine et de femme-enfant?

Elle voulut s'enfuir, mais il la rattrapa solidement. Elle essaya de le repousser mais il tenait bon, les mains fermement posées sur ses hanches.

— Pour l'amour du Ciel, mets-toi à ma place! Tu avais seize ans. Moi, j'étais adulte, j'étais censé me comporter avec un minimum de décence. J'étais tellement dégoûté, si tu savais, de découvrir mon incapacité à éviter de poser les mains sur une jeune fille innocente, aussi ensorcelante fût-elle! Tu m'as provoqué, tu le sais. Pour toi, c'était presque un jeu. Tu m'as demandé de t'embrasser, de te caresser, sans rien connaître à l'amour.

Elle rougit à ces paroles, consciente de leur justesse. Les mains de Rémi sur ses hanches la brûlaient. Elle sentait douloureusement combien son contact pouvait encore embraser son désir.

Il dut lire dans ses pensées, car il se rapprocha légèrement d'elle.

— Pourtant, tu n'étais pas la première jeune fille à me poursuivre de tes assiduités, Gina. J'avais sans peine ignoré les autres. Mais avec toi, c'était impossible. J'eus beau me convaincre de mes responsabilités : j'étais majeur, il m'appartenait de maîtriser la situation, rien n'y fit. En ta présence, j'oubliais toute notion de décence, j'oubliais ton jeune âge : je te désirais, c'était tout.

Il glissa les mains autour de sa taille. Le cœur de la jeune femme se mit à palpiter. Elle était sa prisonnière consentante. Soumise, elle se laissa aller contre lui.

Elle renversa la tête en arrière pour mieux voir son visage. La chaleur de son souffle effleura ses joues. Elle posa une main sur la poitrine musclée de Rémi et sentit son cœur battre au rythme du sien.

Il parla doucement, les yeux posés sur les lèvres de Gina :

— En neuf ans, une seule chose a changé : maintenant, tu es une femme. Mais le reste est immuable. Après si longtemps, j'aurais dû perdre tout désir de toi, mais bien au contraire...

— Rémi, non...

Il posa ses lèvres sur les siennes ; émerveillée, elle s'abandonna à ce baiser. Ensuite, il lui mordilla délicatement le lobe de l'oreille.

— Non, je t'en prie, implora Gina.

Plus tard, elle se reprocherait sa faiblesse, mais elle n'avait plus assez de volonté pour résister. Elle le suppliait d'avoir pitié d'elle.

Sûr de son pouvoir, il ne se laissa pas rebuter.

— Peter et Justin vont arriver d'un moment à l'autre, protesta-t-elle faiblement.

Elle se raccrochait à cette idée, de peur de se noyer dans le tourbillon de la passion.

— Non, ils ne viendront pas. J'avais seulement prévu une petite réunion intime, entre toi et moi.

8

Gina se détourna légèrement pour fuir ses lèvres brûlantes.

— Mais tu m'avais dit...

— ... que je désirais nous réunir ce soir. Je n'ai pas mentionné la présence d'autres participants.

Il passa la main sous son gilet pour lui caresser la nuque. La jeune femme tressaillit de plaisir.

— Ce n'est pas juste, protesta-t-elle.

Mais un désir primitif la tenaillait et la laissait pantelante.

Elle se laissa aller contre lui. Il avait besoin d'elle : elle le sentait, et l'en aima d'autant plus. Rémi lui prit le menton, la força à le regarder. Il semblait lire au plus profond d'elle-même.

— Qu'est-ce qui est juste, Gina?

Sa voix basse était rauque de désir. Cet appel muet émut la jeune femme. Il poursuivit :

— Etait-ce juste, de ta part, de me hanter jour et nuit pendant neuf ans? Etait-ce juste, ces derniers jours, de te voir sans avoir la possibilité de te toucher, pour savoir enfin si l'objet de mon désir était une femme ou un fantôme?

L'intransigeance se lisait sur les traits de Rémi. Pour lui, il était désormais impossible de revenir en arrière.

Gina s'en rendit compte; son cœur s'emplit de bonheur à la vue de son beau visage buriné, si viril, à l'expression tourmentée.

Elle continuait cependant de lutter contre ses émotions.

— Tu m'as joué un tour, murmura-t-elle malgré elle.

Le bleu cobalt de ses yeux la fascinait, l'emprisonnait sous son charme. Il fit lentement glisser son gilet rouge et mauve de ses épaules, et le laissa tomber à ses pieds. Ensuite, très doucement, il se mit à caresser son bras nu.

— Oui, je t'ai joué un tour, admit-il.

Ses doigts experts quittèrent le bras de la jeune femme pour explorer le dos de sa tunique. Ils trouvèrent aisément la fermeture éclair et la firent glisser. Elle sentit son pouce s'attarder sur chaque vertèbre. Elle vibra de tout son corps sous cette caresse sensuelle.

— Je voulais à tout prix te voir ce soir. Je ne pouvais plus attendre. Si tu n'étais pas venue, je serais allé frapper à ta porte. Il y a neuf ans, tu m'en voulais d'avoir abusé de ton innocence, et tu m'as maudit pour la mort de ton grand-père. Au point où j'en suis, je pouvais ajouter sur ta liste une autre raison de me haïr!

Il glissa les mains sous sa tunique et entreprit de l'enlever. Sans grande conviction, Gina essaya de l'en empêcher. Mais le contact de ses mains sur sa peau lui faisait déjà perdre la tête.

Il parvint sans mal à ôter la tunique.

— Non, gémit machinalement la jeune femme.

Rémi la souleva légèrement de terre pour enfouir son visage dans sa gorge profonde et sans défense. Sa main s'approchait dangereusement du bonnet de dentelle de son soutien-gorge.

— Ton charme est trop envoûtant, ma belle Sorcière de la Mer.

Il la fit ployer en arrière pour mieux l'embrasser.

Gina succomba totalement à son pouvoir magique.

Elle s'accrocha à son cou et enfouit les doigts dans son épaisse chevelure d'ébène.

A sa grande surprise, elle s'entendit protester :

— Non, je ne devrais pas.

Rémi la souleva complètement dans ses bras. Les yeux posés sur elle, il déclara :

— Tu es ma femme, Gina, tu m'appartiens.

Il avait raison, elle le savait; quand il se pencha sur elle pour l'embrasser, elle s'abandonna sans regret à son baiser. Il avait une force indomptable : il ne servait à rien de lui résister. Mieux valait lui rendre hommage.

Un peu plus tard, quand le ravissement premier eut disparu sous l'assaut de la froide réalité, la jeune femme frissonna et voulut s'enfuir. Mais Rémi entoura de son bras sa taille fine et l'attira contre lui. La douce chaleur de son corps la réchauffa.

— Cette fois-ci, il n'y aura pas de larmes, Gina.

Apaisée par son étreinte, elle laissa reposer sa tête au creux de son épaule.

Une sensation de froid éveilla Gina le lendemain matin. Elle voulut se blottir contre Rémi, mais il n'était plus à ses côtés. Cette découverte chassa l'expression rayonnante de ses yeux. Elle s'assit dans le lit; un sentiment cauchemardesque l'envahit : elle avait déjà vécu cette situation.

Sur le dossier d'une chaise étaient posés ses vêtements, sagement pliés. Elle ne se rappela pas les avoir rangés la veille. Elle se hâta de sortir du lit pour s'habiller. Au moment d'enfiler sa tunique, elle perçut un bruit de voix. A nouveau, la sensation glaciale d'une réminiscence la paralysa.

Presque malgré elle, Gina se dirigea vers la porte de la chambre, qui donnait sur le vestibule. Elle hésita quelques secondes, puis, d'une main tremblante, l'entrebâilla sans bruit. Le bruit des voix lui parvint alors plus distinctement.

— Tu sais ce que tu fais, j'espère.

C'était la voix de Peter. La jeune femme crut s'évanouir.

— Je sais parfaitement ce que je fais, répondit Rémi, contente-toi de t'occuper de l'aspect juridique du problème.

Il avait parlé d'un ton légèrement arrogant, mécontent de la question de son avocat.

Celui-ci répliqua sans grande conviction :

— Connaissant Justin, et d'après ce que tu m'as dit de lui, il ne va pas beaucoup apprécier, j'en suis sûr.

— On ne lui demande pas d'approuver. Il lui faudra se contenter d'accepter, c'est tout, rétorqua Rémi.

Mais Peter, sceptique, n'abandonna pas si facilement :

— Tu brusques un peu les événements, à mon avis. Tu m'as affirmé n'en avoir pas encore parlé avec Gina.

— Après ce qui s'est passé cette nuit, je crois pouvoir garantir son entière coopération.

Il semblait sourire en disant cela, mais la jeune femme n'en ressentit aucun réconfort. Un frisson d'angoisse la parcourut.

— Mon père doit m'appeler pour connaître les nouvelles.

— Mais voyons, tu n'es encore sûr de rien! protesta Peter.

— C'est seulement une question de temps, et l'affaire de quelques signatures au bas d'un document.

Rémi renversait une à une les objections de son ami.

— Bon, d'accord, grommela celui-ci, à bientôt : je te tiendrai au courant.

La porte d'entrée se referma : Peter venait de quitter l'appartement, devina Gina. Elle s'empressa de refermer la porte de la chambre, avec mille précautions de peur d'être surprise à écouter. Sur la pointe des pieds, elle regagna précipitamment le fond de la pièce. Son cœur se brisait : Rémi essayait à nouveau de se servir d'elle.

Et pour un double motif, cette fois : pour satisfaire le désir qu'elle éveillait encore en lui, mais également pour utiliser l'amour qu'elle lui vouait; elle pourrait en effet persuader Justin d'accepter les conditions posées par Rémi pour la signature du contrat de vente.

Elle entendit un bruit de pas. Le dos tourné à la porte, elle se hâta d'enfiler sa tunique avant l'arrivée de Rémi. La porte s'ouvrit. Gina sentit un regard appréciateur posé sur elle. L'espace d'une seconde, elle fut incapable de bouger, clouée sur place par la caresse de ses yeux. Puis elle se ressaisit et s'empressa de remonter la fermeture éclair de sa tunique.

En deux pas il fut auprès d'elle. Il l'aida à finir de s'habiller, et ensuite posa fermement ses mains sur les épaules de la jeune femme.

Il pencha sa tête brune pour lui embrasser délicatement la nuque. Gina, les yeux fermés, respira profondément, et se défendit contre la sensation de plaisir qui l'envahissait.

— J'espérais te trouver encore au lit, murmura-t-il tendrement.

— Heureusement que non, je me suis réveillée très tard.

— Il est à peine neuf heures.

Il la prit dans ses bras. Elle voulait résister, mais son corps s'abandonnait malgré sa volonté. Sous la caresse de ses yeux bleus, ses genoux se mirent à trembler.

— Il n'est pas indécent de rester au lit jusqu'à neuf heures, observa-t-il.

Le regard rivé sur le col de sa chemise, éclatant de blancheur contre le teint cuivré de sa peau, elle lui fit remarquer :

— Toi, tu es déjà debout, et habillé!

— Ce n'est pas de gaieté de cœur, je peux te l'assurer. Peter m'a rendu une visite matinale, pour affaires.

Il l'attira plus près de lui avant d'ajouter :

— Si j'avais su, j'aurais accroché l'écriteau « Ne pas déranger » sur la porte, et tu ne serais pas en train de me faire des reproches.

— Je suis heureuse que tu n'aies pas mis cet écriteau.

Gina réfléchissait avec tristesse. Si Peter n'était pas passé ce matin, elle n'aurait pas eu vent de la sombre machination de Rémi; il essayait une nouvelle fois d'abuser de son amour pour lui. Et elle avait failli tomber dans son piège.

Il éloigna légèrement son visage pour la contempler plus à loisir.

— Pourquoi dis-tu cela?

— Parce que l'on m'attend au bureau. Je dois travailler, rappelle-toi.

Elle se forçait à prendre un ton enjoué.

— Au diable le bureau! s'exclama-t-il.

Il lui prit gentiment le menton pour l'obliger à lever les yeux.

Puis il posa ses lèvres sur les siennes. Sous le baiser expert, Gina se sentit fondre. La peur glaciale de tout à l'heure n'était pas encore venue à bout de son cœur tendre, et sa bouche répondit avec ardeur au baiser de Rémi. Ses bras musclés l'enserraient comme dans un étau.

Il était maître dans l'art de la séduction, et l'amour de la jeune femme la rendait vulnérable à ses dons. Le ravissement s'emparait de ses sens, et elle dut s'arracher à cette étreinte. Haletante, elle réussit à l'écarter assez d'elle pour reprendre ses esprits.

Les yeux obstinément rivés sur sa chemise, elle insista :

— Je dois aller au bureau.

Un bras passé autour de sa taille, une main sur sa

poitrine, il l'attirait terriblement. Il pencha la tête; elle sentit son souffle chaud effleurer ses tempes et jouer dans ses boucles brunes.

— Appelle-les pour les prévenir de ton retard, la pressa-t-il.

— Non, je ne peux pas me le permettre.

Elle tremblait maintenant de tous ses membres. Déchirée entre l'appel de son cœur et la voix de la raison, elle baissa les paupières.

Il sentit sa résolution vaciller, et en profita. Il lui murmura à l'oreille :

— Pourquoi pas?

Sous la caresse irrésistible de ses mains, les seins de la jeune femme se durcirent.

Elle sentit contre son visage sa joue lisse et bien rasée. Il dégageait une odeur d'eau de toilette virile et musquée. La combinaison de ses caresses et de ce parfum entêtant faillit vaincre les dernières résistances de Gina. Grande était la tentation de chercher sa bouche ferme et sensuelle.

Elle fit appel à toute sa volonté pour s'arracher à son étreinte, et s'éloigna de quelques mètres pour rester hors de son atteinte. Elle s'était dirigée par hasard vers la chaise où reposait son gilet.

— Mes clients, j'en ai peur, ne comprendraient pas la raison de mon retard, répondit-elle enfin.

— Inutile de leur expliquer, rétorqua-t-il.

Sa voix se faisait caressante et persuasive.

Mais la jeune femme était assez loin de lui pour ne pas se laisser prendre au charme. En revanche, s'il joignait le geste à la parole, elle n'était pas convaincue d'avoir le courage de lui résister.

— Le problème n'est pas de leur expliquer.

Elle prit son gilet à la main, et se dirigea vers la porte, incapable de jeter un coup d'œil au lit défait, ni même à

Rémi. La chambre était encore trop imprégnée des vibrations de leurs corps.

— Mes clients accordent une importance vitale à chacun de nos rendez-vous, poursuivit-elle.

Quand elle franchit la porte, il n'essaya pas de la retenir, mais se contenta de lui emboîter le pas.

— Je ne peux donc pas me permettre de les annuler sous prétexte de...

Elle hésitait à formuler sa pensée noir sur blanc.

— ... de faire l'amour avec moi, termina Rémi.

Elle lui jeta un regard de reproche par-dessus son épaule; mais à la vue de son clin d'œil malicieux, la rougeur lui monta aux joues. Il était parfaitement conscient de son pouvoir sur elle : elle s'était offerte à sa merci en lui montrant toute la force de son amour.

Il se sentait maintenant sûr de lui; il avait donc tranquillement affirmé à Peter pouvoir faire d'elle ce qu'il voulait. Rien d'étonnant à cela... Et il aurait pu arriver à ses fins si elle n'avait pas surpris cette conversation.

— Oui, c'est cela, admit-elle, ce serait une raison un peu égoïste.

Elle entra dans le salon et repéra tout de suite son porte-documents.

Rémi ne la quittait pas des yeux. Il s'arragea pour se placer entre elle et la porte d'entrée.

— Egoïste, répéta-t-il; après neuf ans de silence, je n'appelerais pas cela être égoïste.

— Peut-être...

Mais elle connaissait la véritable nature de ses motifs.

Son attaché-case à la main, elle passa près de lui, s'apprêtant à sortir. Il lui saisit brusquement le poignet. Elle s'arrêta : son contact lui ôtait toute force. Le cœur battant, elle soutint l'intensité de ses yeux bleus.

— Tu n'es pas la seule avocate dans ton cabinet,

Gina. Quelqu'un d'autre peut te remplacer et assurer tes rendez-vous.

Le regard perdu dans ses yeux verts, il lui prit doucement la main. Puis il posa délicatement ses lèvres sur sa paume. La jeune femme brûlait d'envie de lui céder; hélas, il était animé d'un désir perfide, et non par l'amour.

Cette pensée la retint.

— Non, je ne peux pas.

Elle secoua énergiquement la tête, luttant désespérément contre les sensations qu'il éveillait en elle.

— Si tu tombais malade, quelqu'un devrait bien s'occuper de tes clients. Je suis ton mari, Gina, et j'ai besoin de toi!

Il avait parlé avec légèreté, mais d'un ton convaincant. Il garda sa main dans la sienne, et embrassa l'anneau d'or qu'il avait glissé à son doigt neuf ans plus tôt.

— Non!

Mais elle oubliait presque la raison de son refus.

Il sembla perdre patience, et l'attira violemment contre lui. Ses tactiques prévenantes n'arrivaient pas à vaincre la résistance de la jeune femme. Il usa de la force.

Sa bouche exigeante se referma sur ses lèvres tremblantes. Gina se sentit envahie par le feu de la passion. Devant son abandon, il consentit à desserrer son étreinte vengeresse et à la transformer en caresses brûlantes.

Elle se soumettait presque entièrement à lui; cependant elle ne lâcha pas son porte-documents : elle s'y raccrochait avec ténacité, comme pour garder le respect d'elle-même.

Rémi lui murmura à l'oreille :

— Gina, appelle ton bureau, dis-leur que tu seras absente... toute la journée.

La tête renversée en arrière, elle lui offrait sa gorge, et se laissait griser par ses baisers. Elle se redressa légèrement, et aperçut l'anneau d'or à son doigt.

Elle n'obéit pas à son ordre, et lui demanda :

— Au fait, as-tu parlé de moi à tes parents?

Cette question inattendue le fit sourciller. L'air interrogateur, il plissa son beau front cuivré, une lueur amusée dans les yeux.

— Oui, bien sûr. Quelle étrange question! Pourquoi me demandes-tu cela?

Il avait aux lèvres un petit sourire intrigué.

— Je ne sais pas, soupira Gina. Je me demandais si pour eux je n'étais pas un vieux squelette caché dans le placard à balais.

Il embrassa ses lèvres entrouvertes.

— Jamais je n'ai vu plus beau squelette! s'exclama-t-il gaiement.

Mais la sonnerie du téléphone vint interrompre leur baiser. Contrarié, Rémi jura entre ses dents. Le bras toujours passé autour de la taille de la jeune femme, il l'entraîna vers le téléphone. Il la garda serrée contre lui lorsqu'il décrocha.

Gina se trouvait assez près pour entendre la voix de l'opératrice.

— Votre correspondant est en ligne.

C'était son père. Elle le devina sur-le-champ : Rémi, ce matin, avait prévenu Peter qu'il allait l'appeler. Elle n'avait pas le courage de rester pour entendre l'annonce de la bonne nouvelle : il allait se vanter de son succès.

Il lui faudrait parler à mots couverts, certainement, pour ne pas laisser deviner à Gina ses intentions machiavéliques. Avec fermeté, elle entreprit de se dégager.

— Bonjour, Papa. Ne quitte pas, je t'en prie.

Il posa la main sur l'écouteur et se tourna vers la jeune femme.

— Que vas-tu faire?

— Je vais au bureau, déclara-t-elle.

— Tu es vraiment une petite sorcière têtue, je l'avais oublié, lui dit-il en souriant.

Il ne put s'empêcher de regarder l'appareil.

— J'ai du travail, insista Gina.

Il était partagé entre le désir de parler seul à son père et celui de la voir rester. Elle profita de son hésitation manifeste.

— Toi aussi, je vois, lança-t-elle.

Il la regarda longuement avant d'acquiescer.

— D'accord. Alors à ce soir. Je passerai te prendre à ton bureau.

— Inutile, j'ai ma voiture, s'empressa-t-elle de préciser.

Elle lui laissa croire qu'elle le verrait le soir même; mais, elle n'en avait pas l'intention. Ce serait trop risqué, pour elle...

Elle s'apprêtait à s'échapper pour de bon, mais il la retint une dernière fois :

— Tu peux au moins m'embrasser avant de partir, puisque tu m'obliges à passer la journée à travailler.

Elle hésita, se retourna, et effleura ses chaudes lèvres. Oui, elle partait, mais il ignorait que c'était définitif. Cette pensée lui étreignit la cœur. Elle s'écarta promptement de lui.

Rémi rit doucement, puis déclara, pour la punir de ce baiser furtif :

— Tu me payeras ça ce soir!

Puis le sourire s'évanouit de ses yeux.

— Sérieusement, Gina, nous avons beaucoup de choses à discuter, ce soir : il nous faut rattraper tout le temps perdu.

Parmi les sujets à aborder en priorité, pensa-t-elle amèrement, se trouvait le contrat de vente. Pour toute réponse, elle se contenta de lui envoyer un pâle sourire.

Elle se dirigea en toute hâte vers la porte d'entrée. Elle eut le temps d'entendre Rémi dire à son père :

— Désolé de t'avoir fait attendre, mais j'étais avec Gina... Oui, elle part à l'instant...

Le reste de la conversation se perdit. Gina avait refermé la porte. Une fois dehors, elle se rendit compte qu'elle n'avait pas de moyen de transport. Sa voiture était restée garée à son bureau.

Elle s'arrêta devant une cabine téléphonique : devait-elle prendre un taxi ? Elle hésitait. Finalement, elle opta pour la marche à pied : une petite promenade par cette belle matinée de septembre lui remettrait les idées en place.

Elle fut surprise d'entendre les oiseaux chanter. Dans son cœur, tout était mort. Les feuilles des érables se teintaient de rouge. La plupart des gens, à cette vue, se réjouissaient d'avance : la flore du Maine, en automne, offrait un spectacle éblouissant. Mais Gina ne pouvait se réjouir ; cette couleur rouge sang lui rappelait la blessure qu'elle portait en elle.

Arrivée au bureau, elle se sentit revigorée par sa longue marche. Elle avait toujours le cœur meurtri, certes ; mais elle était de plus en plus déterminée à ne pas se laisser utiliser par Rémi. Au cours de la journée, Justin lui téléphona à deux reprises : c'était urgent, il insistait. Mais elle ne répondit pas à ses appels, et lui fit dire qu'elle était occupée.

Son message ne devait pas être si urgent, pensa-t-elle. En effet, Rémi ne contacterait Justin qu'après avoir discuté avec elle. Il ignorait encore que cette discussion en tête à tête n'aurait jamais lieu.

Peu avant cinq heures, Gina se dépêcha de sortir du bureau. Elle avait bien recommandé à Rémi de ne pas venir la chercher, mais elle n'était pas tranquille : peut-être viendrait-il l'attendre malgré tout. La jeune femme gagna son véhicule sans l'avoir rencontré.

Cependant elle n'était pas au bout de ses peines. Le soir viendrait. Inquiet de ne pas la voir arriver, il lui téléphonerait, elle en était sûre. Et si elle ne répondait pas, comme elle en avait l'intention, il viendrait chez elle.

De toute manière, si elle décrochait, il ne la laisserait pas en paix pour autant : il n'accepterait jamais son refus de le revoir, et viendrait frapper à sa porte. Elle appellerait alors la police, elle n'aurait pas le choix. Elle ne le laisserait pas lui parler, de peur de se laisser convaincre.

Ayant envisagé toutes les éventualités, et fermement décidée à fuir tout contact direct avec Rémi, Gina n'éprouvait cependant aucun sentiment de triomphe. Elle l'aimait, et aurait voulu voir son amour partagé; mais elle était trop fière pour supporter l'idée d'être utilisée : elle avait hérité ce trait de ses aïeux.

Lasse et mélancolique, elle monta l'escalier qui menait à son appartement et fouilla dans son sac pour y trouver sa clef. Elle la glissa dans la serrure, tourna, poussa, mais la porte ne s'ouvrit pas. Elle essaya de nouveau, sans plus de succès. Elle crut alors s'être trompée de porte.

Mais non, elle était bien devant chez elle. Et c'était bien la bonne clef, elle avait pris le soin de vérifier!

Désorientée, elle redescendit au rez-de-chaussée et frappa chez la gardienne. La porte s'entrebâilla, retenue par une chaîne de sécurité. La concierge, en robe de chambre, inspecta la jeune femme d'un air méfiant. Gina lui sourit poliment.

— Je suis navrée de vous déranger, madame Powell, mais ma clef ne marche pas. Pourriez-vous me prêter votre passe pour que je puisse rentrer chez moi?

La concierge n'enleva pas la chaîne, et ajusta ses lunettes sur son nez comme pour dévisager sa visiteuse. Elle semblait fort circonspecte. Au bout d'un moment, elle parut enfin la reconnaître. Un sourire aimable éclaira son visage.

Elle consentit alors à répondre :

— Rien d'étonnant, si votre clef ne marche pas : le serrurier est déjà passé changer le verrou.

La jeune femme eut l'air interloquée, puis elle poussa un soupir. Elle avait dû recevoir un avis, glissé dans sa boîte aux lettres, mais elle n'avait pas ouvert son courrier depuis plusieurs jours. Elle ne recevait que des factures et ne manifestait aucun empressement à ouvrir les enveloppes.

Son grand-père représentait sa seule famille, et elle n'entretenait plus de correspondance avec ses amies d'école depuis longtemps. Quant aux serrures, elles venaient sans doute d'être changées par précaution.

Patiente, elle demanda à la concierge :

— Pouvez-vous me remettre les nouvelles clefs de mon appartement?

— Pourquoi faire?

— Mais pour rentrer chez moi, voyons.

La jeune femme ne put s'empêcher de rire devant cette question saugrenue.

— Mais je n'ai aucune raison de vous les donner. Plus rien ne vous appartient, là-haut.

Mme Powell semblait très sûre d'elle.

— Comment?

Médusée, Gina fronça les sourcils : cette conversation était absurde, incompréhensible.

Comme si la jeune femme était sourde, Mme Powell haussa la voix pour expliquer :

— Il n'y a plus rien là-haut qui vous appartienne : tout a été emballé et emporté.

— Emporté! Mais où donc?

— Ça, ma petite dame, c'est à vous de le savoir, ça ne me regarde pas.

— Mais je n'en ai aucune idée!

Gina commençait à perdre patience. Que voulait dire tout cela?

— Quelqu'un est peut-être venu prendre mes affaires, mais c'était sans mon autorisation. Auriez-vous l'amabilité de me laisser entrer, madame Powell, pour que j'appelle la police?

— La police? Mais pourquoi? Rien n'a pu être volé : Votre mari a veillé à tout, et s'est chargé de superviser lui-même le déménagement.

— Mon mari?

Tout s'éclairait.

— Bien sûr, votre mari. Vous ne croyez tout de même pas que je laisserais n'importe qui entrer chez vous pour tout emporter!

Mme Powell paraissait indignée de voir son sens des responsabilités mis en doute.

— Non, excusez-moi, reconnut Gina.

Mais intérieurement, elle bouillait de colère.

Tous ses plans s'écroulaient. Il n'avait servi à rien d'envisager toutes ces hypothèses. Rémi, sûr de sa conquête, avait pris les devants. Une rage froide envahit la jeune femme.

— J'ai expliqué à votre mari que vous aviez encore un bail de quatre mois, et qu'un mois de préavis était nécessaire avant de vider les lieux. Il m'a donc versé quatre mois de loyer, plus le mois de préavis. Il s'est vraiment occupé de tout.

— Oui, je vois!

— Vous désirez autre chose?

Il y eut un lourd silence. Mme Powell avait l'impression de perdre son temps désormais, et le montrait clairement à son ancienne locataire.

— Non, non. Je vous remercie. Désolée de vous avoir dérangée, Madame Powell.

— Ce n'est rien.

La concierge referma la porte, puis se reprit :

— Et toutes mes félicitations : vous avez là un mari en or.

Gina ne répondit pas et fit demi-tour. Folle de rage, elle retourna à sa voiture. Elle pourrait donner libre cours à sa colère devant Rémi.

9

Gina s'arrêta devant chez Rémi. Dans sa poitrine, son cœur battait à tout rompre. Elle tambourina impatiemment à la porte, qui s'ouvrit immédiatement : il se tenait devant elle, un sourire goguenard aux lèvres. Une lueur moqueuse dansait dans ses yeux.

— Il était temps que tu arrives, j'allais envoyer quelqu'un à ta recherche! déclara-t-il avec entrain.

Il prit la jeune femme par la main et la fit entrer.

Après avoir refermé la porte, il l'attira dans ses bras. Les muscles tendus, elle résista fermement; sa colère la protégeait désormais, et l'immunisait contre la tendresse de Rémi.

Le visage crispé, elle lança son accusation à voix basse et précipitée :

— Où voulais-tu que j'aille? Tu t'es arrangé pour que j'échoue ici de gré ou de force!

Il ne se départit pas de sa bonne humeur, un petit sourire espiègle relevait toujours les coins de sa bouche. Il ne la lâcha pas, mais n'essaya pas non plus de la serrer contre lui. Il avait l'air rayonnant, et plongea son regard dans les yeux verts de Gina, dont les éclairs semblaient le fasciner.

— Quand l'océan prend cette couleur, la tempête n'est pas loin!

La jeune femme ne répondit pas à ce commentaire.

— As-tu eu une dure journée? ajouta-t-il.

Gina respira profondément; elle était folle de rage de le voir si insouciant. Mais elle n'était pas dupe : il connaissait parfaitement la raison de sa colère. D'un ton implacable, elle lui demanda :

— Je veux savoir où sont mes affaires!

Toujours aussi calme, il répondit de bonne grâce :

— Ta garde-robe est dans la chambre. Tes bibelots sont soigneusement emballés, en attendant que tu décides ce que tu veux en faire. Quant aux caisses, elles sont dans un garde-meuble, avec la plupart de ton mobilier. Voilà!

Furieuse devant tant d'assurance, Gina sortit de ses gonds.

— De quel droit t'es-tu chargé de ce déménagement? Comment as-tu pu agir avec une telle audace?

— C'est pour cela que tu es en colère?

Un sourire compréhensif se peignit sur ses lèvres. De ses mains caressantes, il se mit doucement à lui faire un léger massage des épaules, comme pour l'apaiser. Il la dévisagea avec attention, d'un air possessif. Le désir brillait dans ses yeux.

— Peut-être aurais-je dû te prévenir, admit-il, mais je voulais te faire la surprise.

— Me faire la surprise?

Gina faillit s'étrangler, stupéfaite d'un tel aplomb.

— J'ai appris par expérience que les femmes, quand il s'agit de déménager, n'en finissent pas de trier et d'emballer, et répètent le même processus au moment de déballer. J'ai pu observer ce trait chez ma mère et ma sœur.

Il avait ajouté cette précision comme pour la rassurer : il n'avait jamais aidé une autre femme à déménager. Il poursuivit :

— J'ai fait le raisonnement suivant : si je t'annonçais

l'arrivée des déménageurs, tu voudrais te mêler de tout, et cela prendrait deux fois plus de temps. Mais maintenant, tout est fait, et tu n'as à t'occuper de rien.

La jeune femme était au comble de l'indignation :

— Eh bien, tu n'as plus qu'à téléphoner de nouveau à ton entreprise de déménagement pour qu'ils remettent tout en place!

— Tu veux dire... Avais-tu l'intention de vivre de ton côté?

— J'avais décidé de vivre pour toujours loin de toi!

Elle s'écarta de lui pour signifier sa farouche détermination, et son désir irrévocable de ne plus être mêlée à sa vie.

Rémi n'essaya pas de se rapprocher d'elle. Il semblait sur ses gardes, encore maître de son calme, mais prêt à bondir à tout moment. L'atmosphère devint lourde et tendue entre eux. Gina fut parcourue d'un frisson.

Il parla le premier, d'une voix tranquille et inquiétante :

— Qu'entends-tu exactement par là? Je ne te suis pas très bien.

— Il n'y a rien à expliquer. La situation me semble parfaitement claire. J'ai l'intention de continuer à habiter mon appartement, et toi, tu es libre de vivre où bon te semble. Tes grandes manœuvres ne m'impressionnent pas; il ne suffit pas pour m'amadouer de résilier mon bail et de vider mon appartement.

Il se raidit :

— J'essayais d'être attentionné, je voulais nous préserver un peu de temps libre, au lieu de passer toute la journée à t'installer ici.

Pleine de défi, Gina rejeta la tête en arrière.

— Je n'ai jamais exprimé le désir de m'installer dans ton appartement!

Le visage de son compagnon se durcit.

— Tu ne l'as pas dit explicitement, c'est un fait ; mais ton attitude hier soir parlait d'elle-même.

— Eh bien, tu t'es trompé !

— Essaies-tu de me faire croire que je t'ai obligée à passer la nuit avec moi ? dit-il avec un cynisme non feint.

Gina rougit au souvenir de la veille.

— Je suis restée de mon plein gré, en effet, mais je n'ai jamais exprimé le désir de vivre avec toi de façon permanente !

— Tu es ma femme, trancha-t-il, et tu m'appartiens !

— Je suis Gina Gaynes, et je n'appartiens qu'à moi-même !

Elle lui avait pourtant donné son cœur, elle le savait. Mais il se montrait si orgueilleux et si possessif envers elle qu'elle en arrivait à renier son attachement.

Il grommela entre ses dents :

— Bon sang ! Je le savais, je n'aurais jamais dû te laisser partir ce matin.

Avec la rapidité du cobra, il lui entoura férocement le poignet. Elle n'eut pas le temps de réagir. Il l'attira violemment contre lui. Elle chercha alors à se défendre, son bras se leva, et sa paume s'abattit sur la joue de Rémi. Elle éprouva immédiatement des fourmillements dans la main, provoqués par la violence du choc.

En représailles, il lui tordit les bras derrière le dos et la serra violemment contre son torse musclé. Elle avait pâli. Il darda sur elle des yeux noirs de colère.

— Tu crois pouvoir me gifler impunément ? jeta-t-il avec hargne.

Gina se débattit de toutes ses forces, craignant sa vengeance. Mais il la tenait dans l'étau de ses bras. Pour la faire tenir tranquille, il agrippa d'une main sa chevelure d'ébène et tira sans pitié. Elle ne bougea plus et dut subir le baiser rageur de Rémi.

Mais elle ne se rendait pas si facilement, et se remit à

lutter. La colère de son compagnon redoubla, il resserra son étreinte. Les poumons écrasés, elle arrivait difficilement à respirer. La bouche de Rémi, plaquée sans pitié contre la sienne, l'empêchait de reprendre souffle. Sa vision se troubla, et elle ferma les yeux. Elle essaya à tout prix de maintenir la rigidité de son corps, dernière manifestation de résistance, mais ses forces l'abandonnaient peu à peu.

Elle flanchait, et Rémi entreprit de goûter les fruits de sa victoire, sans entraves. Le feu brûlant de son baiser fit naître en Gina une petite étincelle de réponse.

Les doigts qui s'enroulaient dans ses cheveux étaient devenus caressants. Gina se sentit happée par le tourbillon de la passion. Vaillamment, elle fit un dernier effort pour s'arracher à lui.

Elle réussit à reprendre sa respiration pour lui lancer d'un ton mordant :

— Lâche-moi! A moins que tu n'aies l'intention d'exercer ton pouvoir marital par le viol?

— Tu veux toujours me faire passer pour un être méprisable, alors que la plupart du temps je me contente de répondre à tes invitations.

Il disait vrai, mais elle ignora sa remarque.

— Lâche-moi! répéta-t-elle.

Le corps puissant de Rémi pressé contre le sien et son odeur musquée affolaient les sens de la jeune femme. Il releva légèrement la tête pour étudier le profil détourné de Gina. Elle sentit sur son cou la chaleur de son souffle.

Il murmura d'une voix rauque :

— Comment pourrais-je te lâcher, Gina? Non, pas encore...

Non, pas encore, pensa-t-elle amèrement. Il lui fallait d'abord atteindre son objectif : acheter la propriété de Justin en imposant ses conditions. Pour y arriver, il avait besoin d'elle. Il pouvait par la même occasion apaiser son appétit charnel. Comment pouvait-elle accepter ce rôle?

Une immense lassitude s'empara d'elle. Gina la combattit, comme elle avait combattu l'élan de son amour pour Rémi. Toute émotion, en effet, risquait de se retourner contre elle.

— Tu ne peux pas me retenir prisonnière, dit-elle pour lutter contre sa fatigue.

— Pourquoi pas? se moqua-t-il avec une inflexion sardonique dans la voix; pendant neuf ans, je suis resté prisonnier de ton image. Maintenant, je te tiens dans mes bras en chair et en os. Je sens les battements de ton cœur, la chaleur de ton corps, la douceur de ta peau contre la mienne. Pourquoi me contenter d'un souvenir, quand je peux te serrer contre moi?

— Je ne t'appartiens pas, et je ne t'appartiendrai jamais. Alors lâche-moi!

Gina continuait de protester, sans vouloir entendre ses paroles de séduction.

Il la laissa s'écarter de lui de quelques centimètres, mais la retint toujours par le bras pour l'empêcher de s'échapper. Son regard inflexible clouait la jeune femme sur place.

— Je ne te lâcherai pas. Je veux d'abord discuter de tout cela avec toi.

Cette légère concession constituait pour elle une victoire.

— Il n'y a rien à discuter, déclara-t-elle, je te demande une seule chose : faire rapporter toutes mes affaires chez moi, et me laisser en paix; par conséquent, il n'y a rien à discuter.

Il rétorqua avec autorité :

— Si. Nous allons parler de ton changement radical d'attitude entre hier soir, ce matin, et maintenant.

— Cela ne mènerait à rien.

La lassitude la reprenait. Elle était épuisée d'avoir

constamment à lutter pour se protéger, moralement et physiquement.

— Je ne suis pas d'accord.

Elle était blanche de fatigue. De ses yeux implorants, elle supplia Rémi de l'épargner. Mais son orgueil lui interdisait de formuler cette demande à voix haute.

Lui la regardait. Ses lèvres s'étaient durcies. De chaque côté de sa bouche, les plis de son visage s'étaient creusés. Il lut dans l'expression de Gina toute sa souffrance et sa vulnérabilité. Son front se plissa.

— Gina...

C'était presque une question. Il la serra plus fort, comme pour lui offrir le réconfort de ses bras puissants.

Soudain, quelqu'un frappa à la porte d'entrée. Rémi parut irrité de cette interruption. Il dut s'arracher à la douceur de ce moment pour jeter un regard exaspéré vers la porte. Gina profita de ce répit pour se ressaisir et rétablir son équilibre. Il s'en aperçut et la regarda durement.

— Nous n'en resterons pas là, déclara-t-il.

Un ton menaçant était passé dans sa voix. Il finit par lâcher la jeune femme pour aller ouvrir.

Elle ne put réprimer un soupir d'appréhension. Elle se sentait glacée jusqu'aux os, la pression des mains dures sur ses bras la meurtrissait encore. Combien de temps pourrait-elle endurer cette situation sans flancher?

Elle se demandait cela tout en demeurant à l'affût des mouvements de Rémi. Son sang ne fit qu'un tour en l'entendant accueillir le visiteur.

— Bonjour Justin. Que me voulez-vous?

Cette question abrupte indiquait clairement que Justin était inopportun.

Gina se tourna lentement vers la porte. Par dessus l'épaule de Rémi, son regard tourmenté plongea dans celui de Justin, implacable et accusateur. Il ne manifesta pas la moindre surprise de la trouver ici. La jeune femme devint livide.

— J'étais à la recherche de Gina, et l'on m'a dit où la trouver.

Un silence de plomb tomba dans la pièce. Extrêmement tendu, Rémi se tenait devant la porte et empêchait Justin de passer. La tension atteignit un seuil critique, et il finit par s'effacer pour laisser entrer le visiteur.

— Elle est là, en effet.

Cette remarque était inutile : Gina se tenait au milieu du salon.

— Désirez-vous lui parler? poursuivit-il.

— Oui, s'il vous plaît, répondit-il avec raideur.

Et il entra dans la pièce.

Rémi referma la porte. Son regard passa de la jeune femme à Justin, puis il ébaucha un sourire courtois mais distant.

— J'étais sur le point de proposer un verre à Gina, prendrez-vous quelque chose?

Justin s'apprêtait à décliner son offre, mais un coup d'œil au visage blême de Gina le fit changer d'avis.

— Un whisky, je vous prie.

La jeune femme était médusée devant le comportement de son mari. Elle avait intuitivement deviné son premier mouvement : il comptait mettre Justin à la porte le plus tôt possible, décidé à ne pas tolérer l'irruption d'un rival.

Elle scruta son visage pour découvrir les motivations de sa conduite, mais il restait impénétrable. Il leva à peine les yeux pour la regarder lorsqu'il se dirigea vers le bar.

Elle reporta donc son attention sur Justin. Les nerfs à vif, elle esquissa un sourire pathétique, et s'efforça d'agir le plus naturellement du monde.

— J'ai essayé toute la journée de te joindre au téléphone.

Il parlait calmement, sans élever la voix, mais d'un ton de reproche.

— Oui, je sais, je suis désolée de n'avoir pas pu te rappeler, mais j'étais débordée.

Elle se croyait obligée d'inventer une excuse.

Mais Justin n'était pas dupe : une lueur de scepticisme traversa ses yeux bruns.

— Je vois... Tu étais trop occupée pour prendre seulement cinq minutes?

— Oui.

Gina se raccrochait obstinément à son mensonge. Mais elle tressaillit quand Justin lui demanda d'un ton furieux :

— Tu ne me demandes même pas comment j'ai su où te trouver?

La colère injustifiée de Justin, et sa manière hâtive de porter un jugement, énervèrent Gina au plus haut point. Elle eut tout à coup envie de se retourner contre lui. Elle avait cru un moment pouvoir s'en faire un allié contre Rémi, mais cette illusion s'écroula vite; visiblement, il la condamnait sans appel, sans même avoir de preuves.

— Comment as-tu su, Justin? demanda-t-elle d'un air glacial.

— Je suis allé te voir chez toi, et la concierge m'a annoncé que tu avais déménagé. Ou plutôt, que ton « mari » (il insista lourdement sur ce terme) avait tout emporté.

— Je m'en doutais un peu.

— Moi, je n'y croyais pas. Je me répétais que cette stupide vieille bonne femme n'avait rien compris. Il me fallait le voir de mes propres yeux.

— Donc tu es venu ici, conclut-elle.

Très pâle, elle releva fièrement le menton, comme pour le prier de s'expliquer.

— Et j'ai vu, acheva-t-il sèchement.

Gina reconnaissait ses torts : elle lui avait délibérément laissé croire, par ses paroles et sa conduite, qu'elle était revenue à son ancien mari. Mais elle ne tolérait plus ce malentendu.

Sans perdre sa raideur, elle commença son explication.

— Les apparences peuvent être trompeuses. Je sais ce que tu penses, Justin, mais c'est faux.

Il l'étudiait attentivement. Il l'interrogea avec méfiance :

— Tu veux dire... Tu n'es pas revenue à Rémi?

Elle ouvrit la bouche pour lui confirmer sans équivoque cette nouvelle, mais du coin de l'œil elle vit s'approcher la haute stature de Rémi. Sans lui demander son avis, il répondit à sa place :

— Nous étions justement en train de débattre cette question brûlante au moment de votre arrivée, Justin. Voici votre whisky.

Il lui tendit son verre, où flottaient des glaçons. Il tendit l'autre à Gina en la regardant droit dans les yeux.

— Ma femme est d'humeur changeante, comme l'océan. Notre réconciliation date à peine de vingt-quatre heures, et elle est déjà en péril.

Ces paroles envenimaient la situation, il devait s'en rendre compte. Justin avait accepté son verre sans arrière-pensée, mais il se sentit soudain paralysé : ils avaient certainement passé au moins une nuit ensemble, Rémi le lui laissait clairement entendre.

Gina sentit ses joues rougir de honte et de colère. Elle ne pouvait nier l'évidence, il le savait et il en profitait. Elle vit à nouveau le lourd regard accusateur de Justin peser sur elle; Rémi, lui, demeurait impassible : distant, moqueur, et sûr de lui. La jeune femme ne pouvait démentir ses insinuations, et son silence même constituait un aveu.

Elle éprouva l'envie soudaine de lui lancer son verre au visage. Un éclair menaçant dut passer dans ses yeux, car le regard de son mari la mit en garde. Il lui saisit la main, et l'obligea à serrer les doigts autour du verre.

— Je n'en veux pas, protesta-t-elle.

— Bois, ordonna-t-il, cela te calmera, tu as bien besoin de te détendre.

Il consentit à lui lâcher la main pour l'enlacer par la taille. Il aimait à se montrer possessif. Il l'amena ainsi au centre de la pièce. Gina lui aurait volontiers flanqué son verre à la figure, mais il ne s'en souciait pas. Cette assurance inébranlable la découragea : elle n'avait plus vraiment envie de le provoquer.

— Asseyez-vous, Justin.

De son côté, Rémi prit place sur le canapé, auprès de sa femme.

Justin hésitait. Il porta son verre à ses lèvres et avala une longue gorgée, comme s'il avait besoin d'un remontant. Puis il se dirigea vers un fauteuil, s'assit, et observa le couple d'un air maussade.

— Les affaires de Gina sont ici, accusa Justin.

Il attendait visiblement une confirmation.

— Temporairement, répondit Gina.

— Oui, mais elles sont là.

Et elles y resteraient, semblait-il impliquer. Gina lui lança un regard furieux.

— Tu aurais dû me prévenir, Gina, au lieu de me faire croire que tu le méprisais, déclara tristement Justin, les yeux rivés sur son verre.

Gina voulut parler, mais aucun son ne sortit de sa bouche.

Rémi, une fois de plus, se chargea de répondre à sa place.

— Nous avons toujours eu une relation tourmentée, avec ses hauts et ses bas, où alternent les moments de haine et de passion, sans compter les périodes de silence. La situation actuelle se trouve être légèrement mouvementée, comme vous pouvez le constater.

— Gina m'a affirmé que vous n'étiez pas mariés, ou plutôt, que vous aviez divorcé.

Justin semblait préparé à la réponse de Rémi.

— C'est une légère exagération, mais nous avons été séparés pendant plusieurs années, il est donc normal qu'elle ait pu s'exprimer ainsi.

— Et je le maintiens!, trancha-t-elle.

Elle était scandalisée de les entendre discuter comme si elle n'existait pas, surtout d'un ton aussi badin.

Rémi daigna alors la regarder, et remarqua l'expression rebelle de ses yeux verts.

— Nous en parlerons en tête à tête, intima-t-il sèchement.

Les lèvres de la jeune femme se mirent à trembler : elle brûlait d'envie de lui dire qu'une conversation privée ne modifierait en rien sa décision, mais en était-elle vraiment certaine? Elle dut se détacher de ce beau visage viril, si dur et anguleux, dont elle était si éprise; jamais elle ne l'avait autant aimé à seize ans. Elle était au bord des larmes.

Les doigts de son mari se refermèrent sur sa main frêle, et l'obligèrent à porter le verre à ses lèvres.

— Bois un peu, ordonna-t-il calmement, car il sentait qu'elle allait s'effondrer.

Gina résista quelques secondes, mais finit par céder. Le liquide de feu lui brûla la gorge à point nommé : les larmes qui brillaient maintenant dans ses yeux pouvaient être attribuées à l'effet de l'alcool. Elle espérait dissimuler à son compagnon la cause véritable de son émotion.

Elle se remettait doucement. Justin brisa le silence :

— Et ma propriété. Etes-vous toujours disposé à l'acheter?

Un masque impénétrable se peignit immédiatement sur le visage de l'interpellé. Prise d'anxiété, Gina attendit en retenant son souffle.

— Cela dépend, répondit-il sans se compromettre.

— De quels facteurs? insista Justin.

— De certaines considérations personnelles.

Il n'en dit pas plus long, mais Gina savait parfaitement ce qu'il entendait par là.

Les nerfs à vif, elle se sentit prête à craquer. Elle souffrait trop. Il avait projeté de l'utiliser pour ses transactions avec Justin, elle le savait. Elle décida alors de se démasquer.

Elle dissimula avec peine le tremblement de sa voix.

— Il veut dire que cela dépend de moi et de ma décision. C'est exact?

Elle le mettait au défi de nier cette affirmation.

L'air distant, il l'étudia un moment en silence, le sourcil légèrement froncé. Quand il parla enfin, il s'adressa à Justin.

— Oui, Gina a raison : ma réponse dépendra de sa décision.

Elle ne s'attendait pas à un tel aveu. Jusqu'ici, il lui avait seulement fait part de son désir de vivre avec elle, de la considérer à nouveau comme sa femme. Mais il n'avait jamais mentionné d'autre intention. Sans doute se rendait-il compte à présent qu'elle ne se laissait pas berner si aisément.

Justin poussa un long soupir avant de finir son verre. Il le reposa sur la table, l'air sombre et résigné. Quand il se leva, il regarda Rémi droit dans les yeux.

— Combien de temps dois-je attendre votre réponse? s'enquit-il.

Rémi se redressa et jeta un bref coup d'œil à la jeune femme.

— Gina doit me donner ce soir sa réponse définitive. Je vous ferai donc part de ma décision demain matin au plus tard.

Justin acquiesça d'un signe de tête.

— L'enjeu de cette affaire me tient à cœur, sur le plan

personnel et professionnel, je ferais donc mieux de me retirer : ma présence ici ne ferais que retarder le cours des événements.

Comme il s'apprêtait à quitter la pièce, Gina se rendit compte qu'elle allait laisser passer sa chance de sortir sans encombres de chez Rémi, accompagnée de Justin. Sa décision était prise. Son mari la connaissait lui aussi, mais il espérait encore la faire changer d'avis. Et la jeune femme n'était pas persuadée d'être à l'abri de son pouvoir.

Comme mue par un ressort, elle se leva du canapé, posa son verre et emboîta le pas à Justin. Elle voulut l'appeler, mais le son s'étrangla dans sa gorge : Rémi lui avait saisi les épaules et la retenait contre sa poitrine musclée.

— Reste.

Il avait prononcé ce mot à voix basse, près de son oreille.

Sous cette tendre pression, Gina s'exécuta. Arrivé à la porte, Justin se retourna, l'air défaitiste. Il semblait accorder d'avance la victoire à Rémi. Et la jeune femme, momentanément vaincue par son charme, ne put le détromper.

La porte se referma sur lui. L'étreinte se fit alors plus pressante. Sa bouche impatiente chercha la nuque de Gina, la faisant vibrer de désir. Ses caresses avaient le pouvoir d'anéantir en elle toute volonté de résistance. Elle raidit la nuque, et s'arracha à ce trop doux baiser.

Les bras croisés sur la poitrine, haletante, elle lui demanda :

— Pourquoi as-tu fait cela?

— De quoi parles-tu?

Il la suivit, voulant la reprendre dans ses bras.

Mais elle lui échappa, et se tint à bonne distance. Ses immenses yeux verts étincelaient de colère.

— Pourquoi as-tu laissé entrer Justin? Avais-tu besoin de le mêler directement à cette affaire?

Elle le bombardait de questions, en ayant soin de rester hors de sa portée. Ses invectives la mettait à l'abri de sa séduction.

— Et pourquoi toute cette mascarade, cette politesse exagérée?

— Que veux-tu dire? Tu aurais préféré nous voir en venir aux mains, nous battre pour toi?

— Non, cent fois non! se défendit-elle.

Il déformait délibérément ses attaques, pour la ridiculiser.

— Bon! De toute manière, cela aurait été complètement inutile : les femmes en font toujours à leur tête, quel que soit le vainqueur. En aucune façon nous n'aurions pu influencer ton choix.

— Tu as raison, admit-elle à contrecœur, mais tu connais ma décision, et tu n'arriveras pas à me faire changer d'avis. Tu perdrais ton temps, un point c'est tout.

— Pourquoi, Gina?

C'était au tour de Rémi de l'interroger.

— Pourquoi me repousses-tu, après être venue à moi hier soir?

Elle chercha désespérément une réponse.

— Tu n'y as peut-être jamais songé, mais j'essaie de me défaire d'un fantôme qui me hante depuis neuf ans, j'essaie d'effacer le souvenir d'un amour de jeunesse.

— Pourtant tu étais bien vivante dans mes bras, observa-t-il.

— Après avoir passé une nuit avec toi, peut-être ai-je découvert que je préférais Justin...

Il se tint immobile, mais il la dominait de sa présence écrasante et menaçante. Les muscles de sa mâchoire se contractèrent; il faisait tout son possible pour garder son calme, mais la tension entre eux devenait insupportable.

— Si c'était vrai, je crois que je...

Il s'interrompit, vibrant de colère.

Il n'avait pas besoin d'achever sa phrase. Gina sentait presque ses doigts noués autour de sa gorge, et frissonna. Elle était allée trop loin.

— Peu importe si cela s'est passé la nuit dernière ou il y a neuf ans. Mon opinion reste la même : je veux être séparée de toi.

— Mais pourquoi? insista-t-il.

— Parce que... je ne veux pas passer le reste de ma vie avec toi! Alors je t'en prie, laisse-moi partir, supplia-t-elle le cœur brisé.

La colère se peignit sur les traits de Rémi. Il parut soudain désarmé. Il essayait désespérément de trouver une faille dans le raisonnement de la jeune femme, mais ne savait comment réfuter ses arguments.

— Ta décision est-elle irrévocable? demanda-t-il enfin avec impatience.

— Oui.

Gina retenait son souffle : quand ce calvaire allait-il s'achever? Il fit volte-face.

— Pourquoi? Pourquoi? Pourquoi?

Il semblait s'adresser à lui-même, les poings serrés, comme écrasé par le destin.

Deux coups furent frappés à la porte. Gina sursauta convulsivement, et Rémi réagit de la même façon. La jeune femme ne supportait pas l'idée d'être à nouveau interrompue dans sa discussion. Il était sur le point de la laisser partir. Le temps travaillait contre elle. Le regard tranchant de son mari la transperça.

Le visiteur s'impatientait. Rémi se dirigea enfin vers l'entrée. Crispée, Gina attendait.

Plein de violence contenue, il ouvrit brusquement la porte et se tint dans l'encadrement pour bloquer le passage au nouvel arrivant. Si c'était Justin, il ne le laisserait pas rentrer.

10

Rémi jeta un bref coup d'œil à la personne qui se tenait dans l'entrée, laissa la porte ouverte et regagna le salon. Héberluée par cette attitude imprévisible, Gina vit entrer Peter à sa suite.

Celui-ci éclata d'un rire léger et étonné.

— Si tu ne dis plus bonjour, tu peux au moins m'offrir à boire!

Puis il aperçut la jeune femme et lui fit un large sourire.

— Je ne pensais pas vous trouver ici, mais c'est bon signe, je suppose!

— Tu ferais mieux de t'abstenir, Peter.

Rémi se dirigea vers le bar, l'air sombre.

— Quoi? s'exclama son ami.

Il s'apercevait seulement maintenant de l'atmosphère tendue qui régnait dans la pièce.

Un rictus cynique aux lèvres, Rémi déclara amèrement :

— Il n'y a rien à fêter, mais tu as gagné ton pari.

Le regard de l'avocat se tourna vers Gina. Il remarqua alors la pâleur de son visage crispé.

— Si je comprends bien...

Il s'interrompit, car il lui était pénible de se rendre à l'évidence.

— Gina a refusé, acheva-t-il douloureusement d'une voix basse et déchirée.

Peter s'effondra littéralement dans le fauteuil que venait de quitter Justin. Il ne semblait pas se réjouir d'avoir visé juste. Il sortit tristement de sa poche une liasse de papiers.

— J'ai passé une journée entière à parcourir la moitié de l'état du Maine, et tout ça pour rien! soupira-t-il.

Il jeta les papiers sur la petite table basse.

Rémi revint du bar, et lui tendit un cocktail; il jeta un rapide coup d'œil aux documents.

— Tu as pu l'obtenir, à ce que je vois?

— Oui, répondit Peter l'air morose, en bonne et due forme : signatures et cachets officiels.

Le regard de Gina intriguée par cette conversation passait de l'un à l'autre, Rémi sentit son interrogation muette. Il prit place sur le canapé, et invita la jeune femme à faire de même.

Elle ne s'assit pas à ses côtés, mais choisit un fauteuil.

— Mais de quoi parlez-vous? demanda-t-elle enfin.

Peter fut obligé de lever les yeux.

— Je viens de faire constater officiellement l'invalidité de votre annulation de mariage. Par conséquent, du point de vue strictement légal, vous êtes mari et femme. Vous vous étiez apparemment réconciliés...

Il semblait presque s'excuser de faire référence aux événements de la veille.

— Vous vous êtes trompé, dit-elle en baissant les yeux; une légère rougeur colorait ses joues.

— C'est dommage... Rémi semblait si sûr de lui!

Il sirotait sa boisson d'un air absent et semblait très affecté par la situation.

— J'ai changé d'avis, et j'en avais parfaitement le droit.

— Puis-je vous demander pourquoi?

A travers ses lunettes dansait une lueur amicale.

Rémi répondit à sa question :

— Gina ne supporte pas l'idée d'avoir à passer le reste de sa vie à mes côtés.

— Ma foi, c'est une raison parfaitement valable.

Rémi les regardait tous deux pensivement.

— Que décides-tu, Peter?

Sa voix était empreinte de lassitude.

— Heu... voyons! Envisageriez-vous une période d'essai de quelques mois avant de rompre définitivement le mariage?

— Non! rejeta la jeune femme avec violence.

Elle se radoucit aussitôt pour continuer plus calmement :

— Je veux seulement qu'il me laisse partir et me rende toutes mes affaires.

— Vos affaires?

Il avait visiblement l'air interloqué.

— Oui, Rémi a résilié mon bail aujourd'hui et s'est chargé de tout déménager de chez moi.

Elle s'exprima avec fermeté, mais sa colère s'était évanouie.

— Mon Dieu! s'exclama Peter, stupéfait devant une telle audace, n'était-ce pas un peu prématuré? ajouta-t-il en se tournant vers son ami.

Celui-ci se leva nerveusement.

— Je pensais avoir eu gain de cause, marmonna-t-il, j'aurais dû deviner quelle girouette elle était devenue depuis...

— C'est faux! interrompit Gina, je n'ai jamais...

— Du calme, du calme, intervint l'avocat, la situation est déjà assez délicate, il ne sert à rien de crier et de s'insulter.

Très raide, Rémi leur tourna le dos et s'éloigna à l'autre bout du salon. Ses paroles offensantes avaient blessé la jeune femme, mais elle tâchait maintenant de ne pas répondre à cette provocation.

Le regard intelligent de Peter allait de l'un à l'autre. Il déclara enfin :

— Bon. Examinons les faits un à un. Le problème le plus urgent à régler est celui de l'appartement de Gina. Dès demain, je me charge de rétablir le contrat de location. Ensuite, je renvoie tous les meubles dans l'appartement; entre temps, vous pouvez trouver une chambre à l'hôtel pour la nuit, d'accord?

Gina approuva. Quant à Rémi, il s'obstinait à faire les cent pas.

— Le second problème sera celui de la séparation.

Peter sortit de sa poche un petit carnet et un stylo afin de prendre note. Il jeta un regard interrogateur à la jeune femme par-dessus ses lunettes.

— C'est vous qui demanderez le divorce, je suppose?

— Oui, répondit-elle le cœur serré.

— Non! hurla son mari.

— Quels motifs invoquerez-vous? poursuivit Peter.

— Je ne sais pas, avoua Gina, je suggère l'incompatibilité...

— Tu ne demanderas pas le divorce, ordonna Rémi d'un ton menaçant.

Il se tenait non loin d'elle maintenant, et la dominait de toute sa hauteur. Elle se leva avec nervosité, pour mieux l'affronter. Elle rassembla toute son énergie, prête à se défendre, mais ses genoux tremblaient.

— Alors demande-le toi-même, rétorqua-t-elle, peu m'importe.

— Je ne t'accorderai jamais le divorce!

Paralysée par cette déclaration, elle n'eut pas le réflexe de bouger lorsqu'il lui posa les deux mains sur les épaules, avec une farouche détermination.

— Tu ne vas pas te débarrasser de moi aussi facilement qu'il y a neuf ans, menaça-t-il, il n'y aura pas de divorce!

Les larmes perlèrent aux paupières de Gina; ses yeux brillaient comme deux émeraudes.

A cette vue, un déclic se produisit en lui, et il attira violemment sa femme contre sa poitrine.

Il enfouit son visage dans les soyeux cheveux d'ébène. Gina demeurait rigide, mais peu à peu, elle se laissait gagner par la douceur de cette fougueuse étreinte.

— Tu es ma femme, Gina, lui murmura-t-il à l'oreille, je ne te laisserai pas partir.

La jeune femme était au supplice, torturée entre son amour et son orgueil. Son visage révélait ce tourment, et elle n'essaya pas cette fois de le cacher car Rémi ne pouvait le voir. Mais Peter, assis en face, remarqua son expression torturée. Il referma lentement son carnet. Pendant ce temps, elle était parvenue à se libérer.

— Je demande le divorce, Rémi, répéta-t-elle comme pour mieux se convaincre de ses intentions.

Elle continuait de lui cacher son visage en attendant de se ressaisir.

— Je m'y opposerai par tous les moyens, promit-il.

— Ne brusquons pas les événements, intervint Peter.

— Tu es mon avocat, répliqua-t-il sèchement, et je t'ordonne de t'élever contre toute action en justice intentée par Gina pour obtenir un divorce. Tu peux te dispenser de tes conseils : je t'appelerai quand j'aurai besoin de toi.

— Je me permets seulement de vous proposer de vous asseoir, pour discuter de tout cela de manière rationnelle, au lieu de se laisser emporter par les émotions. Qu'en pensez-vous, Gina?

Il ne semblait pas le moins du monde affecté par les airs hautains de son ami.

— Vous avez raison, admit Gina, et elle s'assit, les mains nerveusement croisées sur ses genoux.

Rémi se désolidarisait ostensiblement de la conversation.

— Comment envisagez-vous le divorce, exactement, s'enquit Peter.

— Je veux divorcer, un point c'est tout, répéta la jeune femme.

— Tiens, c'est nouveau, lâcha dédaigneusement Rémi du fond de la pièce.

— Je n'ai jamais voulu de ton argent! Tu m'as proposé une compensation pour décharger ta conscience, et j'ai accepté sans réfléchir parce que je croyais y avoir droit. Nous avons tous les deux eu tort.

— Le tribunal vous accordera certainement un dédommagement symbolique, commenta Peter avec un soupir résigné, tout aurait pu se passer très simplement.

— Mais ce ne sera pas simple, cria Rémi.

— Pourquoi t'acharner ainsi, implora Gina, dis-moi pourquoi?

— Oui, renchérit l'avocat; Gina se montre extrêmement coopérative pour le divorce, alors explique-nous les raisons de ton opposition.

— Mais bon sang, Peter, tu connais parfaitement mes raisons!

— Et moi aussi, je les connais, prononça la jeune femme d'une voix sourde.

— Alors pourquoi lui demander, s'enquit Peter avec curiosité.

— Etant données les circonstances, je croyais que Rémi aurait renoncé à se servir de moi pour l'achat de sa propriété.

— Quelle propriété? rétorqua son mari.

— Ne fais pas l'innocent!

— Pourriez-vous m'expliquer ce dont il s'agit? la pria Peter.

— Je veux parler de la propriété de Justin, naturellement, répondit-elle avec irritation.

— Quoi? Rémi semblait sincèrement interloqué.

— Quels étaient les intentions de votre mari? insista Peter.

— Il en a certainement parlé avec vous.

— Non, je ne pense pas. Auriez-vous l'amabilité de me mettre au courant?

— Il voulait me séduire pour que je persuade Justin d'accepter ses conditions pour la signature du contrat. Il va sans doute me demander de mener son projet à bien avant d'accepter le divorce.

— Au nom du...

Mais Peter enraya l'explosion de colère de son ami.

— En êtes-vous absolument certaine? poursuivit-il.

— Oui, malheureusement. Il l'a lui-même reconnu devant Justin, il y a à peine une demi-heure.

— Mensonges! hurla Rémi.

— C'est la vérité. Tu as dit textuellement à Justin que ta décision dépendrait entièrement de moi. De plus, j'ai surpris ta conversation ce matin avec Peter.

— Mais cela n'a rien à voir, se défendit l'avocat.

— Avez-vous déjà oublié? Rémi vous a assuré de mon entière coopération, avec ou sans l'approbation de Justin. Il a même téléphoné à son père pour lui annoncer la bonne nouvelle : il allait acheter la propriété à des conditions très avantageuses. Mais c'était un peu prématuré : il ne m'en avait même pas parlé!

— Et vous avez cru...

Un large sourire éclaira le visage de Peter.

— Tais-toi! interrompit Rémi, et donne-moi la proposition de contrat rédigée par Gina.

Peter, toujours souriant, s'exécuta et sortit de son attaché-case le document demandé. La jeune femme s'attendait à le voir, furieux d'avoir été démasqué, déchirer rageusement le dossier.

A sa grande surprise, elle le vit apposer sa signature au bas du contrat. Puis il tendit le papier à son avocat.

— Tu es témoin.

Gina leva les yeux vers le visage de son mari.

— Je... Je ne comprends pas...

Elle n'en croyait pas ses yeux.

— Cela ne m'étonne pas, petite sotte! répliqua-t-il, ce matin, tu m'as entendu discuter avec Peter de notre annulation de mariage. Je lui demandais de faire constater officiellement l'invalidité de ce document. Je connaissais les sentiments de Justin à ton égard, je m'attendais donc à une mauvaise réaction de sa part. Quant au fameux coup de téléphone, il s'explique parfaitement : j'avais raconté nos récentes aventures à mon père, et je l'ai appelé pour lui annoncer notre réconciliation. Mais la bonne nouvelle en question n'avait rien à voir avec l'achat de la propriété.

Hébétée, elle secouait mécaniquement la tête pour indiquer son incrédulité. Mais il semblait si convaincant!

— En ce qui concerne Justin, poursuivit-il, ma décision pour l'achat du terrain dépendait de toi, car si tu ne voulais pas vivre avec moi, je n'avais plus aucune raison de revenir dans le Maine, même pour affaires.

Gina se tordait les mains. Elle voulait désespérément croire ses paroles, mais n'abusait-il pas encore de sa naïveté?

— Mais pourquoi voulais-tu vivre avec moi, Rémi?

— Pour une raison très simple : je t'aime, Gina.

— Tu ne me l'as jamais dit... Tu m'as seulement avoué ton désir.

— Je t'aime, Gina, et je crois t'avoir toujours aimée.

Le cœur de la jeune femme bondit de joie dans sa poitrine. Elle lui faisait maintenant entièrement confiance. Elle leva vers lui des yeux brûlants d'amour, mais il ne sembla pas les voir.

— Dites-lui que vous l'aimez, Gina, chuchota Peter, pour que je puisse ouvrir la bouteille de champagne!

Tremblante de bonheur, elle murmura :

— Tu as dit à Justin que notre relation oscillait entre la passion et la haine, t'en souviens-tu? Eh bien, c'est vrai. Même au plus fort de ma haine, je n'ai cessé de t'aimer.

Son masque d'arrogance amère tomba instantanément. Il tendit doucement la main vers la joue de la jeune femme; elle frissonna sous cette tendre caresse.

Ils tombèrent dans les bras l'un de l'autre et s'embrassèrent passionnément. Ils n'entendirent pas le « Pop! » du bouchon de champagne, ni le pétillement du liquide blond et mousseux.

Peter, le sourire aux lèvres et le verre à la main, s'éclipsa discrètement.

Quand Gina et Rémi levèrent enfin leur coupe à leur bonheur, le champagne était éventé.

Étude des POISSONS

par Madame HARLEQUIN

(19 février - 20 mars)

Signe d'Eau
Maître planétaire : Jupiter
Pierres : Turquoise, Chrysolite
Couleurs : Bleu azur, Marine
Métal : Etain

Traits dominants :

Fidélité, loyauté
Rêveur, imaginatif, très émotif
Agit plus par intuition que par raisonnement

POISSONS

(19 février - 20 mars)

Les natifs des Poissons n'en font qu'à leur tête. Leur façon d'agir est assez déroutante car ils échappent à toute emprise et agissent par impulsion. Ainsi, Gina se jette dans les bras de Rémi, sans penser un instant aux possibles conséquences. Et pourtant, il va y en avoir!

Gina va donc passer neuf longues années à essayer de maîtriser les élancements de son cœur douloureux. Mais, à la vue de son mari, ses émotions la submergent comme une vague, et son amour jaillit, toujours aussi violent.

Collection Harlequin
CHIMÈRES EN SIERRA LEONE
Kay Thorpe
Collection Harlequin
DANS L'ANTRE DU FAUVE
Anne Mather
Collection Harlequin
LE PRIX DU
Collection Harlequin
L'ILE AUX MILLE PARFUMS
Violet Winspear

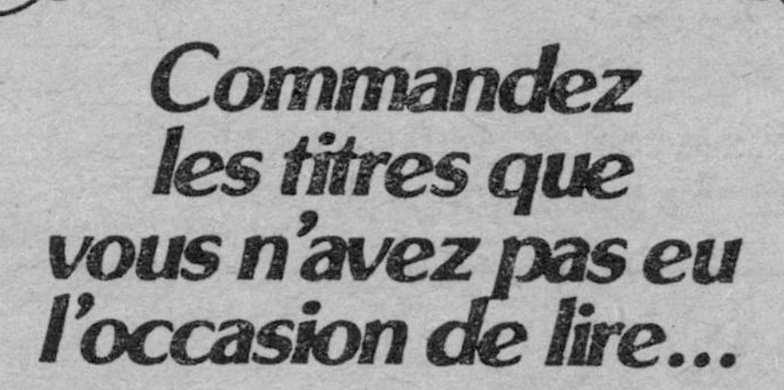

46 La rebelle apprivoisée
Anne Hampson

47 La haine aux deux visages
Roberta Leigh

48 Le Château des Fleurs
Margaret Rome

49 La Tour des Quatre Vents
Elizabeth Hunter

50 Arènes ardentes
Flora Kidd

51 La sirène du désert
Margaret Rome

52 En un long corps à corps
Charlotte Lamb

53 Pour le malheur et pour le pire
Janet Dailey

54 L'aigle aux yeux vides
Anne Hampson

55 Une étoile au cœur
Roberta Leigh

56 Sortilège antillais
Violet Winspear

57 Le dernier des Mallory
Kay Thorpe

58 Le ranch de la solitude
Elizabeth Graham

59 Le piège du dépit
Rosemary Carter

60 Sous l'aile du dragon
Sara Craven

61 La maison des amulettes
Margery Hilton

62 Une jeune fille en bleu
Katrina Britt

63 La fleur fragile du destin
Stella Frances Nel

64 Les survivants du Nevada
Janet Dailey

65 L'oasis du barbare
Charlotte Lamb

66 La passagère de l'angoisse
Anne Hampson

67 La rose des Medicis
Anne Mather

68 Le val aux sources
Janet Dailey

69 Tremblement de coeur
Sara Craven

70 Comme un corps sans âme
Anne Weale

71 Au grand galop d'une roulotte
Margaret Rome

72 Le Seigneur de l'Amazone
Kay Thorpe

75 Après la nuit revient l'aurore
Margery Hilton

76 Les noces de Satan
Violet Winspear

77 La Montagne aux Aigles
Margaret Rome

80 Le Châtelain des montagnes
Anne Mather

81 Flammes d'automne
Janet Dailey

82 Le chemin du diable
Violet Winspear

83 La malédiction des Mayas
Sara Craven

84 Trop belle Annabel
Anne Weale

85 Le coeur s'égare
Elizabeth Graham